KT-487-278

The Curse of the School Rabbit

ウサギとぼくのこまった毎日

ジュディス・カー 作・絵　こだまともこ 訳

孫のアレクサンダーとタチアナへ
愛をこめて——ジュディス・カー

ウサギとぼくのこまった毎日

もくじ

1　ウサギのユッキー

ぼくがこれから話すいろんな事件は、どれもこれも「こまったウサギ」のせいで起こった。

ウサギの名前は、ユッキー。名前のとおり、雪みたいに真っ白で、ふわふわしている。ユッキーは、いつも学校にいる。二年生のときの担任のベネット先生が飼ってるウサギだからね。

ユッキーがいなかったら、ベネット先生は二年生の授業ができなかったかもしれない。小学校の先生にだって、なれなかったかも。だってベネット先生は、国語の時間になると、ユッキーについて作文を書きなさいっていってたし、図工の時間にはユッキーの絵をかかせた。算数の時間だって、重さや長さの勉強(べんきょう)だといって、ユッキーをはかりにのせたり、メジャーで測(はか)ったりさせたんだ。

ぼくは、ユッキーがだいきらいだ。二年生のとき、ユッキーの長さをメジャーで測(はか)っているときに、おしっこをかけられてから、すごくきらいになった。

「わざとやったわけじゃないのよ、トミー」と、ベネット先生はいったけど、わざとやったにちがいない。ほんとうにいやなウサギだ。

いまは、いもうとのアンジーが二年生で、ベネット先生にならっている。アンジーは、「ベネット先生も

ユッキーもだーいすき！」なんていってる。

おまけに、ユッキーの作文を書いたり、絵をかいたり、はかりにのせたりするだけじゃなくて、「ウサちゃんダンス」なんて、へんてこなおどりをおとなたちに見せたりもする。アンジーは、だれかの前でうたったりおどったりするのが、だいすきなんだ。

「アンジーは、お父さんに似たんだね」

なんていうひともいる。ぼくたちのお父さんは、俳優なんだ。

お父さんはいつも「俳優というのは、ひとに見せようとしちゃいけない。演じる役にすっぽり入りこむんだよ」といっている。でも、「ウサちゃんダンス」をしているアンジーは、とてもウサギに

すっぽり入りこんでるようには見えない。

お父さんが俳優だと、うれしいこともあれば、こまることもある。うれしいのは、お父さんが出ているテレビのドラマを見たひとが、ほめてくれるとき。こまるのは、テレビや舞台の仕事がずっとないときだ。

そんなとき、お父さんは「ちょっとひといきついてるんだよ」なんていう。でもお父さんは、ひといきついて休んでるようには見えない。それどころか、かなしそうな顔をして、家のなかをぐるぐる歩きまわったりしている。

もちろん、お父さんの仕事がなくてお金が入らなければ、ぼくたちも新しい服を買ってもらえないし、休みにみんなで旅行に行くこともできない。

ここのところお父さんは、「ちょっとひといき」じゃなく、「ながーくひといき」ついている。もうすぐクリスマスだっていうのに、お金がなかったら、どうなるんだろう？　今度のクリスマスには、ぜったいに新しい自転車をもらいたいと思っているのに。

このあいだ、晩ごはんを食べているときに、マイクおじさんがひょっこり訪ねてきた。おじさんといっても、ほんとのおじさんじゃなくって、お父さんの友だちだけど、うちの家族はみんな、マイクおじさんがだいすきだ。

おじさんは、わかいころ、お父さんとおなじ演劇学校に通っていた。だけど、俳優にはならないで監督になった。映画の監督をすることもあれば、テレビドラマの監督もする。俳優に仕事を紹介してくれることもある。お父さんが「なが一いひといき」をついているところだったから、ぼくは、マイクおじさんが来てくれて、いつもの何倍もうれしかった。

マイクおじさんのほうも、なんだかとってもうれしそうだった。これから、俳優のゴードン・ストロングが出る映画の監督をするという。

ゴードン・ストロングは、昔は大スターだったらしい。マイクおじさんが監督をするのは、そのゴードン・ストロングが、かっこいいスパイになる映画だそうだ。大スターだったころも、ゴードン・ストロングは、よくスパイの役をやっていたという。ぼくも、そういう古い映画を見たことがある。

それで、そのかっこいいスパイには、かならずあいぼうがいる。もちろん、あいぼうは、スパイみたいにかっこよくはないけど、マイクおじさんがいうには、けっこういい役だし、お金もたくさんもらえるそうだ。そこで、お父さんにそのあいぼう役をやってみないかと、いいにきたってわけだった。

「まいったなあ！　あのゴードン・ストロングか」と、お父さんはいった。

「まあまあ、アルフレッド。いいたいことは、わかってるって」と、マイクおじさん。お父さんは、アルフレッドという名前だ。「だがな、ゴードン・ストロングも、最近は、前ほど性格が悪くなくなったってうわさだぞ。それで、ゴードンを、このうちにつれてこようと思うんだけど、いいかな？　みんなで、かんげいしてやってくれないか。ゴードンは、家族ってものにあこがれてるっていうか、夢をもってるんだ。自分では、一度も家庭をもったことがないからね」

「ぜひ、つれてきてくださいな。もちろん、だいかんげいよ」

　お母さんがいうと、アンジーが横から口を出した。

「あたし、ウサちゃんダンスを見せてあげる！」

　こいつめ、いうと思ったよ。

　ぼくは、アンジーをにらんでやった。

「だめよ。ゴードン・ストロングさんは、お父さんとお話しするためにいらっしゃるんですからね」と、お母さん。

「だけど、マイク。だいじょうぶかな」お父さんは、首をかしげた。「ぼくはゴードン・ストロングより背が高いんだ。ぼくをあいぼう役にはしたくないんじゃないか」 

　マイクおじさんは、のんきな顔でいった。

「まあな、たいていの男がゴードンより背が高いけど、ちょっとかがめばいいじゃないか。そしたら、気がつかないと思うよ」

それから、おとなたちは、三人そろってぼくとアンジーに「ゴードン・ストロングさんが来たら、おぎょうぎよくしなきゃだめ」とか、おきまりのことをぐだぐだいいはじめた。いつだってぎょうぎよくしてるのに、しつれいな話だ。

とにかく、マイクおじさんがつぎの日のお茶の時間に、ゴードン・ストロングさんをつれてくることになった。

2　ユッキーが起(お)こした大事件(だいじけん)

つぎの日、学校から帰ると、マイクおじさんとゴードン・ストロングさんがちょうど来たところで、リビングで立ったまま、お父さんとしゃべっていた。お父さんは、背中(せなか)をまるめた、変(へん)なかっこうをしている。そのせいで、ゴードン・ストロングさんと、おなじくらいの背(せ)の高さに見えた。ゴードン・ストロングさんは、映画(えいが)で見るより、ずいぶん小さなひとだ。

「おかえり、トミー。こちらが、ゴードン・ストロングさんだよ」マイクおじさんが、いった。

「こんにちは、ストロングさん」

ぼくがあいさつすると、ストロングさんは「おお、こんちは、トマッソ！」といった。たぶん、「トミー」をイタリア語でいったんだろう。ストロングさ

んは、イタリア生まれなのかもしれない。

テーブルには、紅茶のカップだけでなく、ちっちゃなサンドイッチやケーキが、山ほどのっていた。いつになったら食べられるのかなと思ったけど、お父さんたちの話はおわりそうもない。でも、お父さんがにこにこしていたので、ぼくもうれしくなった。

アンジーは、まだ学校から帰ってきていなかった。

「お友だちのお母さんが、車で送っ

てくれるんですって」

　お母さんがそういったとき、ちょうど玄関のベルがなって、お母さんは出ていった。

　アンジーとだれかの声が、玄関から聞こえてくる。けっこう長いこと話しているなと思っていると、とつぜんリビングのドアがあいて、アンジーがあらわれた。腕になにかだいている。

「さあさあ、ごらんくださあい！」

　手品師みたいなことをいいながらアンジーが腕をひらくと、なにかが床にとびおりて、ぴょんぴょんとはねていく。

　ウサギのユッキーだ！

「アンジー、これはいったい……」お父さんが、目をまるくした。

玄関のドアがしまる音がして、お母さんがリビングに入ってきた。

「ベネット先生がいらしてたのよ。先生、とってもあわてていてね……」

お母さんが話しはじめると、アンジーが、はしゃいだ声で横からいった。

「ねえねえ、うちで、ユッキーを飼うんだよ。ベネット先生は、お母さんが病気になったから、看病をしにお母さんのうちに行かなきゃいけないんだって。だから、あたし、うちはユッキーが来てもだいじょうぶ、お父さんも、ぜんぜん気にしないよ、っていったの。ベネット先生、ユッキーがすきな食べ物を書いて教えてくれたよ」

マイクおじさんだけが、声をあげてわらった。だけど、ちっともおもしろいと思っていないのが、ぼくにはわかった。

「ハッハッハッ、どうです？　にぎやかでしょう？」マイクおじさんは、ストロングさんに声をかけた。「こういうドタバタさわぎが、まさに、家庭ってものなんですよ」

だけど、ストロングさんはだまったままだ。ぴくりとも動かずに、足元のユッキーを見おろしている。

そしてユッキーは、ストロングさんのズボンのすそに、ゆうゆうとおしっこをかけていた。

つぎになにが起こったのかは、はっきりとおぼえていない。たぶん、お父さんがユッキーにとびかかったのだと思う。だけど、お父さんは足をすべらせてころび、ストロングさんにぶつかった。ストロングさんは、ひざをついただけだったけど、お父さんはユッキーをつかまえようと手

をのばしたまま、床にたおれてしまった。もちろん、ユッキーは逃げていった。

　ストロングさんは、ひざをついたまま、お父さんの頭から足の先まで、じろじろとながめていた。お父さんの身長を測っているように見えた。ぼくたちが、教室でユッキーの長さを測るときみたいに。だけど、ストロングさんはメジャーではなく、頭のなかで測っていた。で、なんともいえない、いやーな顔になった。

　マイクおじさんがストロングさんを助けおこし、お父さんは自分で起きあがった。おとなたちは、口々にストロングさんにあやまったり、おしっこでぬれたズボンのことでさわいだりしはじ

めた。うすいグレーのズボンの、おしっこがかかったところだけが、黒くなっていた。ちょっとばかり、においもしている。マイクおじさんだけは、あいかわらず、おもしろがってるふりをしていたけど、どう考えてもおもしろいといえる場面じゃない。

しまいにマイクおじさんが、わざとらしい口調で、いかにも楽しそうにいいだした。

「さあさあ、こんなさわぎのあとですから、そろそろお茶をいただきましょうかね」

「いやいや、みなさんに会えてよかったが、もう帰らなきゃいかんので」と、ストロングさん。

「お茶だけでも、いかがですか?」お母さんが、すすめた。

「お茶もけっこう。これでしつれいするよ」ストロングさんは、顔をしかめていった。

「じゃあ、わたしが車で送っていきますよ」と、マイクおじさんがいった。

「ありがたいが、運転手を外に待たせているんでね。また、連絡するよ」

　ストロングさんはそういうと、ユッキーをだいているアンジーをおしのけるようにして、玄関から出ていった。出ていくときに、ぶるぶるっと、身ぶるいしたように見えた。

　リビングのなかは、しばらく

しーんとしていた。ゴードン・ストロングさんの車が出ていく音が聞こえた。

「やれやれ、マイク。映画の話も、これで水のあわってわけだな」お父さんが、ためいきをついた。

「どっちみち、だめだったと思うよ。きみのほうが十センチも背が高いことに、気づかれちゃったからな。気にするな。ウサギのおしっこのせいじゃないよ」

マイクおじさんが、お父さんをなぐさめた。

「そうだよ、ユッキーはなんにも悪くないもん」アンジーが、横から口を出した。

「あのひとが、ユッキーのことを、見てたせいだよ。ユッキーは、じろじろにらまれるのが、だいっきらいなんだから」

それからアンジーは、わざとらしく顔をしかめて、いった。

「ああ、かわいそうなユッキーちゃん！」

ぼくは、お母さんの顔を見た。お母さんも、これでクリスマス用のお金が消えてしまったと思っているにちがいない。気にしない、気にしない、と自分にいいきかせた。だけど……だけどやっぱり、新しい自転車だけは、どうしてもほしいな。いまは、あんなに小さい自転車に、むりして乗ってるんだから……。

　ぼくは、アンジーをどなりつけた。

「へっ！　なにが、かわいそうなユッキーちゃんだ！　ミンチにしてやるから、おぼえてろよ！」

　ストロングさんの映画に出てくる悪者のせりふを、まねしたんだ。アンジーが、泣き声をあげた。

「お母さん！　お兄ちゃんがユッキーをミンチにするって！」

「もう、やめなさい、ふたりとも！　さあさあ、お茶にしましょう」

お母さんにいわれて、みんな、テーブルに着いた。ストロングさんのために用意したごちそうは、たちまちなくなった。ケーキもサンドイッチもおいしかったけど、なんだか胸につっかえた。

3 ユッキーとこわい犬たち

ベネット先生は、ユッキーといっしょに、ウサギ小屋ももってきていた。

お茶のあと、お父さんが小屋を庭にもっていって、ユッキーをいれた。それから、お母さんといっしょに、ベネット先生が書いたメモを読みはじめた。その字がきたないったらない。「きたない字を書いてはいけませんよ」って、ベネット先生はいつもいってたんじゃなかったっけ。

「ふんふん、えさは一日に二回。ウサギ小屋のそうじは、週一回でいいそうだ。でも、運動をさせなきゃいけないんだって。さかあがりでも教えればいいのかな？」

お父さんはよく、こんなふうに冗談をいう。お母さんが、ふふっとわらった。

「庭にはなしとけばいいのよ」

「庭は、だめだよ。板べいに穴があいてるじゃないか」

お父さんがいうと、お母さんがメモを見なおした。

「犬の散歩につかうハーネスみたいなものを作って、芝生の上を歩かせてください、ですって……」

ふたりは、ぼくの顔をじっと見た。

「やだよ！　ぼくはぜったいウサギを散歩につれてかないからね」

すると、アンジーが大きな声をあげた。

「あたし、行く！　あたしがつれてってあげるよ！」

アンジーは、いつのまにかユッキーを小屋から出してきていた。だけど、アンジーはまだ小さいし、お父さんとお母さんはウサギの世話をしているひまがない。けっきょく、ぼくが散歩させるしかなかった。

お母さんは、いま、学校の先生になる勉強をしている。先生の試験に受かるためには、作文みたいなものをたくさん書かなきゃいけないので、いつもいそがしい。

お父さんは、前にいったように仕事がなくて、「ながーいひといき」をついているけど、仕事をもらうためにオーディションに行かなければいけない。オーディションという

のは、俳優の試験みたいなもので、受かればテレビや舞台の仕事ができる。

「トミー、アルバイトとしてウサギの世話をしないか。一日に五十ペンス*はらうよ」と、お父さんがいいだした。

つまり、毎日ウサギの世話をすれば、おこづかいのほかに、週に三ポンド五十ペンスもらえるということだ。もしかして、

*イギリスの通貨の単位ペニーの複数形。百ペンスで一ポンド。

それを貯金したら、新しい自転車を買えるかもしれない。ウサギを散歩につれていって、おこづかいを貯めるのもいいな、とぼくは思った。

つぎの日は、土曜日だった。お母さんとふたりで、ベネット先生のメモを読むと、「ユッキーのハーネスは、ほうたいで作ってください」と書いてあった。ほうたいなら、ウサギのひふに傷がつかないそうだ。お母さんにいわれて、ぼくは、薬局にほうたいを買いにいった。

薬局のおばさんは、見るからにおしゃべりがすきそうなひとだった。ほうたいをください、というと、「どんなほうたい？」ときいてきた。

どんなほうたいっていわれても……。ぼくは、お母さんが服を買いにいくときにいつもいっていることを、まねしてみた。

「そうですねえ、とびきりお高いものはこまりますけど……」

薬局のおばさんは、目をまるくした。

「あのね、『とびきりお高いほうたい』なんて、ないのよ。どんなことにつかうのってきいてるの」

「えっと……ウサギに巻いて、散歩させるんです」

ほかのお客さんたちがわらうだろうなと思っていたら、あんのじょう、ゲラゲラわらいだした。まったく、いやになっちゃうよ。

うちに帰ると、お母さんが、ほうたいをユッキーの胸とおなかに巻きつけてむすんでから、片方の端を長くのこして、もって歩ける

ようにしてくれた。ためしに庭につれて出ると、ユッキーはぴょんぴょんはねまわった。どうやら、よろこんでいるらしい。

「これなら、草っぱらにつれてってもだいじょうぶね」と、お母さんがいった。

「草っぱら」というのは、うちの前の道をまっすぐに行ったところにある空き地のことだ。あまり手入れされていない芝生と、木がひょろひょろはえているやぶがあるだけ。もう少し行くとりっぱな公園があるから、草っぱらで遊んだり、散歩したりするひとはあまりいない。

日曜は、朝から晩までどしゃぶりだったから、散歩はしなかった。そこで月曜は早起きして、学校に行く前に、ユッキーを散歩につれていった。まだけっこう暗かったから、草っぱらには、だれもいなかった。

芝生の上をはねまわるユッキーのあとを、ほうたいの端をしっかりにぎってついてまわった。すると、とつぜんユッキーがはねるのをやめて、やぶの下の穴を、くんくんかぎだした。

「ばかだな、ユッキー。それは、ウサギ穴じゃないぞ」ぼくは、いってやった。

草っぱらには、いまも昔も、ウサギなんかいない。だけど、ユッキーは、くんくんかぐのをやめようとしない。ちょっといらいらしてきたとき、なにかが、だーっとかけてきて、ぼくたちにとびかかった。ウサギじゃない、

黒い犬だ。犬は、ほえたり、歯をむきだしてうなったりしている。

ユッキーはぴょーんとはねるなり、ぼくの足にしがみついた。とがった爪が足にくいこんで、いたいったらない。だけど、ユッキーを犬の朝ごはんにするわけにはいかない。

しかたなく、胸にだきあげて、「あっちに行け！」と、犬にどなった。

とたんに、何匹もの犬が、いっせいにあらわれて、ぼくとユッキーをぐるりととりかこんだ。どれもちがう種類の、ちがう毛色の犬だ。

どうしよう！

もう、逃げ場がない。こいつら、

ぼくまで朝ごはんにするつもりだ！

そのとき、ピーッとホイッスルがひびいた。すると犬たちは、なんだかはずかしそうにもじもじして、ほえるのをやめた。

暗いなかからあらわれたのは、ちっちゃなおばあさん。ぼさぼさの白髪に、しわくちゃのこわい顔をしている。着ている上着には、「プロの散歩屋――犬の散歩なら、おまかせ！」と書いてあった。

おばあさんは、もう一度、ピーッとホイッスルをふいてから、犬たちをどなりつけた。お父さんがいつも「ぜったい、つかっちゃいけ

ないよ」といっている言葉(ことば)をつかったから、ぼくはびっくりした。よく見ると、どの犬も伸(の)び縮(ちぢ)みするリードでつないである。

ちっちゃなおばあさんは、犬たちをぐいっと自分のほうにひきよせて、「おすわり」と命令(めいれい)した。それから、近づいてきて、ユッキーをのぞきこんだ。

「おまえさん、あやうくウサギ・パイにされるところだったじゃないか」とユッキーにいってから、ぼくに「ぼうや、早く、うちに帰んな」という。

それから、おばあさんは大声で「さあ、来い！」と、どなって、また、ホイッスルをふいた。犬たちはさっと起(お)きあがると、おばあさんといっしょに暗(くら)いなかに消(き)えていった。

うちに帰って、お母さんに、なにがあったか話した。

「こわーい犬たちから守ってやったんだからね。ユッキーも、ぜったいぼくに感謝してるはずだよ」

だけどユッキーは、おれいもいわずに、さっさと小屋に入ってしまった。

すると、お母さんが鼻をぴくぴくさせた。

「トミー、なんだか、くさいわよ」

ユッキーが、ぼくにおしっこをかけていたんだ。そのせいで、着かえたばかりの服を洗わなきゃならなくなったし、学校にも遅刻してしまった。なんていやなウサギだ！ ますますきらいになったぞ！

「こわい犬がいるんだったら、ユッ

キーを草っぱらにつれていくのも、考えものね」お母さんがそんなことをいいだしたので、お父さんが板べいの穴を修理して、ユッキーは庭で運動させることになった。

お父さんは、大工仕事が得意じゃない。だから、ちょっと見た目は悪かったけれど、ともかく穴はふさがった。

けっきょく、ぼくはユッキーのえさやりと、ウサギ小屋のそうじだけをすればよくなった。

4　アンジーの病気

オーディションに受からなかったので、お父さんは、がっかりしていた。もうちょっとで、テレビドラマの役がもらえるところまでいったのに、ほかのひとにきまってしまったのだ。そんなにいい役じゃなかったらしいけど、お母さんがいうように、きまっていたら電気代や水道代の足しにはなったはずだ。

マイクおじさんがまたやってきたときにも、お母さんとお父さんはそのオーディションの話をしていた。マイクおじさんは、ゴードン・ストロング主演の映画が中止になった、と知らせにきたんだ。

マイクおじさんがいうには、映画会社とストロングさんが大げんかしたそうだ。ストロングさんは、ウサギにおしっこをかけられたのは映画会社のせいだから裁判所に訴えてやる、とおどしたらしい。もちろん、そんなことをいうなんて、頭がどうかしている。

そこで、映画会社のほうも、頭がどうかしているやつの出る映画を作るのは、お金のむだだ、といいだした。そういうわけで、映画を作るのは、すっかりとりやめに

なったという。

「で、きみはどうなったんだい?」お父さんが、マイクおじさんにきいた。

「ぼくも、仕事がなくなったよ」と、マイクおじさん。

「とうぶんのあいだ『ひといきつく』ことになったってわけね。〈ひといきクラブ〉の仲間がふえたわ」

お母さんがいうと、三人とも、ハアハアと元気のない声でわらいだした。おとなは、ちっともおかしくないときに、こういうわらいかたをする。もう、新しい自転車のことは、考えてもむだだな、とぼくは思った。

それはそうと、お母さんのところにベネット先生からメールが来ていた。

――母のぐあいはよくなっていますが、まだ付きそっていなければいけません。すみませんが、あと何日かユッキーをあずかっていただけませんか……。

ベネット先生は、ユッキーのえさ代や、そのほかにかかるお金も送ってくれた。ぼくのアルバイトも、あと何日かつづくことになった。もちろん、おこづかいはふえるけど、あんまりうれしくはない。

ベネット先生からメールをもらってよろこんだのは、アンジーだけだった。

「かわいい、かわいいユッキーちゃん！　ずーっとアンジーと、いっしょだよ！」なんてうたいながら、ウサちゃんダンスをおどりだした。しまいには、のどがつまったみたいに、ゴホゴホせきこみはじめた。

「アンジー、かぜをひいたんじゃないの？」

お母さんが熱を測ると、けっこう高かった。アンジーは、すぐにベッドにいれられた。でも、アンジーは、ますますにこにこ顔になった。学校を休めるし、寝ている部屋の窓から、庭にいるユッキーを見てられるもん……というわけ。だけど、アンジーはやっぱりアンジー。おとなしく、窓からウサギ見物をしているはずがない。

いつもは、お昼ごろお母さんがユッキーを庭に出してやり、学校から帰ってきたぼくがつかまえて小屋にいれ、えさをやることになっていた。でも、アンジーが熱を出したつぎの日、学校から帰って庭を見るとユッキーがいなかった。すごく寒くて雪がふりそうだったから、きっと小屋の柱をよじのぼるかなんかして自分で小屋に帰ったのかも。だけど、小屋のなかにもいなかった。

「お母さん、どうしよう！　ユッキーがいなくなった！」

ぼくがさけぶと、お母さんが庭に出てきた。

「おかしいわね。さっきまで、庭をはねまわっていたわよ」

小屋のまわりをよく見ると、アンジーのスリッパが地面に落ちていた。

「まあ、たいへん！」

お母さんは、家にもどって、アンジーの部屋のドアをあけた。ベッドは空っぽ。

すると、バカみたいな作り声が聞こえた。

「みなさあん、おいしいケーキは、いかがでしゅかあ？」

アンジーが、ねまきのまま床にすわって、人形たちとお茶会をしている。

でも、よく見ると、人形じゃないものがまじっていた。

ユッキー！

すぐにわからなかったのは、ユッキーが、人形の服を着せられていたからだ。頭に帽子をぎゅっとかぶり、下から長い耳がとびだしている。人形の服が小さくて、はちきれそうだけど、ユッキーはちっとも気にしていないみたいだ。アンジーがくれるおやつを、ポリポリ食べている。

「アンジー、寝てなきゃいけないっていったでしょ」アンジーをだきあげるなり、お母さんは大声をあげた。「まあ、からだがすっかり冷えてるじゃない！　いったい、なにをしてたの？」

「ユッキーが、庭でひとりぼっちだったから、見にいってあげたの。それで、おいかけっこして、あたしがおいついて、つかまえたんだよ。で、いまはお人形たちと、お茶会をしてるの。ユッキーは、お茶会がだーいすきで……」

　そこまでいうと、アンジーは、ゴホゴホせきこんだ。

「ほらほら、あったかくしてなきゃ。熱があがってないといいけど……」

　お母さんは、心配そうだ。

　ユッキーの服をぬがせて、小屋にいれてこなきゃいけない。でもユッキーは、どっ

ちもイヤだねという顔で、むちゅうでポリポリおやつを食べつづけている。

「ユッキーはお茶会がだーいすき」なんてアンジーはいってたけど、すきなのがお茶会かどうか、あやしいもんだ。

うちに帰ってきたお父さんは、ユッキーが人形の服を着せられていたと聞いて、ちょっとわらった。でも、すぐにまゆをひそめていった。

「とにかく、アンジーのようすが心配だな」

お父さんは、芸能事務所に行ってきたという。お父さんみたいな俳優に、仕事を紹介してくれるところだ。でも、その芸能事務所は、すっごくバカみたいな仕事しか紹介してくれなかったそうだ。

晩ごはんのとき、また、マイクおじさんがやってきた。

おとなたちは、「もう、俳優って仕事に未来はないな」とか、「ほかに、ちゃんとした仕事を見つけたほうがいいかも」とか、話しはじめた。しょっちゅう聞かされてる話ばかりで、めちゃくちゃ退屈だったから、ぼくはさっさとベッ

https://www.tokuma.jp/kodomonohon/　徳間書店

読者と著者と編集部をむすぶ機関紙

子(こ)どもの本(ほん)だより

2020年5月／6月号　第27巻　157号

『ウサギとぼくのこまった毎日』より

扉を開いて

編集部　小島範子

今年は、子どもたちが家で過ごす時間が長い春となってしまいました。友だちといっしょに遊ぶことも難しいなか、どのご家庭も、さまざまな工夫をしていらっしゃることでしょう。

学習、テレビ、ゲームの時間と同じようにぜひ設けてほしいと思うのは、読書の時間です。本好きならだれもが知っているあの感覚――一冊の本の世界に入り込んで、ふと顔を上げたときに自分がどこにいるのかわからなくなる奇妙な感じ、現実の経過とは異なる時間の流れ――。あのちょっぴり不思議な空間と時間の感覚は、読書でこそ味わうことができるもの。子どもたちにもあの感覚を知ってほしいし、現実が厳しいときはとくに、本の中の世界へと逃げこむ術を覚えてほしいとも思います。

表紙を開くと、そこにあるのは別の世界への扉です。どうぞ、扉を開いてください。

本の数だけある別の世界が、極上のものであるよう、私たちは常に丁寧に本を作っていきたいと思っています。

本の中の世界を知ることで、子どもたちの人生が、より豊かなものとなるよう願っています。

なかがわちひろの『おたすけこびととおべんとう』制作日記

五月刊の新作絵本『おたすけこびととおべんとう』。文章を担当された、なかがわちひろさんがブログ「ときたま日記」にアップしていた制作の過程を、改めてまとめてくださいました。

■二〇一九年一月二日

年末の仕事納めは「おたすけこびと」シリーズの七冊目の物語を考えることでした。今回の主役は「船」。なぜなら、絵担当のコヨセ・ジュンジさんが「船を描きたい」と言ったから。

そもそも『おたすけこびと』は、重機に並々ならぬ愛着をいだいていた幼児期の息子と、重機に愛のない私の世界をつなごうと考えたお話です。それから十二年。おたすけこびとは、数十万人の重機キッズに届きました。橋渡しをしてくれたのがコヨセさんの絵。

つまり、コヨセさんの心の組成は幼児期の息子たちに限りなく近いということですよね！　きっと、船も子どもたちの心に届くはず。

■二〇一九年一月三十一日

筋書きや情景を文章でまとめた「シナリオ」がコヨセさんの手にわたりました。ここまでは私とU編集者とのやりとりです。コヨセさんは「御前会議の勅命がボクに下りてくる」なんて言いますが、いえいえ、コヨセさんの絵に値する内容にすべく努力していたのです。ようやくコヨセさんの登場までこぎつけると、私は踊りだしたいほど嬉しい。あとは月イチペースで開かれる定例「おたすけこびと会議」で、コヨセさんにダメ出しを、いや、叱咤激励のムチを、いえ、夢を託してにこやかに見守るばかり。

■二〇一九年五月九日

コヨセさんのラフに色がつき、とても楽しい。なかでも、「おたすけ会議」メンバーのみんなが大喜びをしたのが見返しのお弁当の絵でした。口うるさい私とU編集者の口がとまり、若手男性編集者TK氏にいたっては両手の指先を頬にあてて「かわいい…♡」と乙女な笑顔。

■二〇一九年六月八日

重機のスケッチをびっしり描きこんだノートを指さしてコヨセさんが呟く。

「この機種の右手後方三十度を下から見た写真を入手できないかな」

しばしメカニカルな話がつづくが、話題は突然かわる。

「三歳児って、お弁当をハンカチで包めるの？」

「四歳児は園で包み方を習うみたいだよ」

園児のお弁当に関する検証がつづき、話題はまたころっとかわる。

「笛をふいてバッタの交通規制をするのはどう？」「手信号の？　ちょっとやってみて」

おたすけこびと会議は、こんなことを毎回五、六時間ほどかけて真剣に議論し、物語世界のリアリティ構築に努めます。

■二〇一九年七月十日

いよいよ本描きに入りました。まずは五月の下絵で我らの心をつかんだお弁当の絵から。

「メニューを考えるの大変だったでしょ」「これ、どんな味？」わいわいキャイキャイさざめく、おたすけチーム。しかし、いちはやく正気に返ったU編集者がクールに言い放つ…。

「それはそうとコヨセさん。あわよくば三枚、少なくとも二枚は完璧な原画をしあげてくるお約束ではありませんでしたっけ?」

納得のいくまで時間をかけたいコヨセさんと、その心情を尊重しつつも〆切をゆずれない編集部との熱き闘いがはじまる!

■二〇一九年九月二十八日

本描き作業が進んでいます。まだ色のない輪郭だけの絵は、精密な設計図のよう。

「ここになにかもうひとつ、ほしいですね。テントウムシとか…」と若手編集者TK氏が呟いたとたん、「テントウムシ、いいね!」「いろんな種類がいるよ」「赤に黒? 黒に赤?」四人が口々にしゃべりだし、アイディアの球をぽんぽん打ち合うさまは卓球ダブルスのラリーのごとし。その結果、ヘルメットの上に同じ大きさのナナホシテントウを載せたこびと案が採択されました。物語とはあまり関係のないお遊びですが、一冊の本を何度も読む子どもたちが十回目に気がついてくれればと願う細部を私たちは仕込みます。みなさんもダブルヘルメットのこびとを見つけてくださいね。

■二〇二〇年一月二十四日

構図も文章もほぼ確定。水のゆらぎが夢のように描かれる絵に、一同うっとり…。

しかし、またしてもU編集者の鋭いツッコミにより、こびとのトロンボーンの形の検証およびエア演奏がはじまる。

はたから見れば意味不明の会議なり。

■二〇二〇年三月三日

完成した絵をコヨセさんからもぎとるようにしてスキャン作業にまわす、まるで追い剥ぎのような編集部。その前に、鬼のおたすけチームは、ほんの一瞬、わぁ~♪と歓声をあげ、手を三回くらい叩いたあと、すぐに沈黙して鋭い目で原画をにらむ。じーっ…。塗り忘れをチェックするためです。無数にいるこびとたちを厳しく検品。こびとの手(直径一ミリ)や髪の毛、靴の裏などに鉛筆でペケをつけて戻すと、コヨセさんが細い絵筆で黙々と色塗り。編集部は家族経営の町工場と化します。

■二〇二〇年三月十日

ゴールが見える直線コースに入ってきました。コヨセさんの絵は、台所の調理器具や食材に愛が感じられます。「生活感があるね」と私が呟いたら「うん、台所生活が長いから」と、さりげないお返事。えへ、かっこいい。もちろん、重機の見せ場もたっぷりですよ~。

■二〇二〇年四月四日

コヨセさんも私も、それぞれ自宅で小さなお弁当をつくりました。本のうしろにのせる著者近影撮影のためです。コヨセさんのお弁当は、絵本に登場するとおりの献立。

若葉の美しい季節ですが、みなさんの心には新型コロナにまつわる重苦しい不安がうずまいていることでしょう。子どもたちがお弁当をもって戸外でのびのびと遊べる日が早く戻ってきますように。その笑顔の曇る悲しいことが、おこりませんように…。

晴れやかな絵本は、私たちの祈りです。


制作の様子をもっとご覧になりたい方は、なかがわさんのブログをどうぞ。QRコードはこちら↓

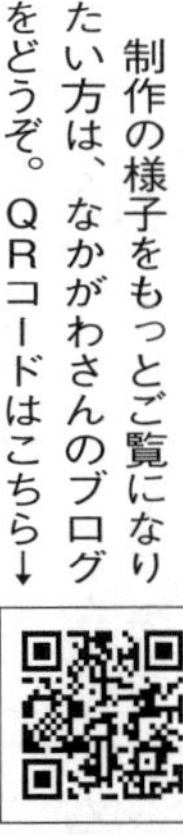

著者と話そう　なかがわちひろさんのまき

『おたすけこびととおべんとう』制作日記に続いて、なかがわちひろさんのインタビューをお届けします。

Q　どんなお子さんでしたか。

A　幼稚園に通っていたころは、母が作ってくれたお弁当をあけないまま持って帰ってくることもあるくらい、内弁慶（うちべんけい）で、こわがりな子でした。運動神経が鈍い上に、そそっかしいので、よく転び、いつも膝（ひざ）をすりむいていました。だから私の物語では、登場人物がよく転びます。

父は新聞記者で、家にはたくさん本がありましたから、私も日常の空気のように本に親しんでいました。

字が書けるようになってからは、毎日、日記を書いていました。母が「字がきれいになったね」など、短い感想を書いてくれるのが楽しみでした。

小学生のころは、五つ下の妹に、私の創作したお話を聞かせていました。主人公が次から次へと悲運に見舞われる、ものすごく辛くてドラマチックなお話だったり、救いの神が現れるお話だったり。妹の表情を見ながら、お話をその場でどんどん変えて作るのが、楽しかったですね。

小学校四年生までは、人付き合いが得意な方ではなく、私の世界はとてもせまかったのですが、四年生の秋に埼玉から仙台に引っ越してから、がらっと変わりました。

Q　何があったのでしょうか。

A　転校した先の仙台の公立小学校で、良い先生に出会いました。

その小学校では、国語教育として、子どもたちに毎日、日記を書かせていました。四年生のときの担任の先生は日記に、検印をぽんぽんとおすだけでしたが、五年生になると、とてもこわいと怖れられていた小野寺とく子先生が、担任になりました。私はクラス替えの前の日記に、「小野寺先生になりませんように」と書いていたのですが、新学期でも同じ日記帳を使うので、なんと初日にその部分を発見されてしまいました。ところが小野寺先生は「そんなに嫌わないでよ、ちひろちゃん」と、のびやかな赤ペンを書いてよこし、私は、ほっとすると同時に、にやりと笑ったものです。

小野寺先生は、休み時間のあいだに四十六人全員の日記に感想を書く、すごい先生でした。はじめのころは、先生がこわくて、体（てい）のいいことしか書かなかった私も、先生の赤ペンが心にひびき、ついつい本音を書くようになりました。私が長文日記を書き、先生が「ちひろちゃん、ごめん。日記を家に持ち帰らせて。今日の日記は別の紙に書いてきてね」と言って、次の日にやはり長文の感想を書いて返してくれたこともあります。それがだんだんおもしろくなってきて、私は親の夫婦げんかや、先生への意見まで書くように。

しだいに私は、文章の向こうには読んでくれる人がいることを意識するようになりました。ある日、日記に、「先生にだけ、ひみつを話します。私は、エンピツで生きていきたいんです」と書いたら、先生は「ちひろちゃんなら、絶対にできる。私はかならず、読者になるよ」と書いてくれました。

子どもって、そ

仙台での小学生時代は、ジュウシマツのブリーダーとして有名だったと話す、なかがわちひろさん。

んな大人の一言で、はしごを天までかけて登ってしまうことがあるのです。

Q 小学生向きの物語が多いのは、そういう小学校時代の経験も関係していらっしゃるのでしょうか。

A そうですね。子どもの本に携わる人たちには、それぞれ得意な年齢があるような気がします。作家は、その人がもっとも感受性豊かで、鋭敏に物事をとらえていた時期の自分に向けて書くのかもしれません。

Q 創作だけでなく、翻訳もたくさんされていますが、訳す上で大切にしていることは？

A 読みやすさです。児童文学もそうですが、とくに絵本のテキストは短い文章が多く、詩に似ています。声にだして読み、あるいは耳にしたときに心地よいことがとても重要。文化背景のちがいに苦慮することも多いのですが、一字一句を生真面目に日本語にしても、良さが消えてしまうばかりで、子どもの心には届きません。

まずは原文で私がその作品から感じたことを大切にします。それから、作者の伝えたいものが何かを、あらゆる手段をつかって探ります。資料と検索の鬼になり、作者が存命であれば、メールのやりとりをしてかなり突っ込んだ質問をぶつけるなど。そうして、その作品の正体のようなものを私なりにつかんだら、次はそれにふさわしい日本語をさがすのです。

言語がちがっても、人は心の根っこを共有できるはずという信念こそが、翻訳の真髄。外国の人がちがう言葉を話すなんて想像すらしない幼い子どもたちが、翻訳絵本や児童文学を読んで笑ってくれたら、最高です。

Q 作家にとって、本の魅力はなんでしょうか。

A 本来でしたら、自分の子や周りにいる子にしか何かを伝えることはできませんが、幸い本というすごい発明があることで、会ったことがない子どもたちにも思いを届けることができます。百年残る古典なんて大それたものは目指しませんが、ちょっとずつ後ろにつないでいくと言うのかな、それだけでじゅうぶん、魔法のようなことなのです。

それから、これは本だけに限りませんが、こんなおもしろいことがあった、という記憶を増やしていくことは、その子の心のなかに、将来、力になる宝物を増やすことだと思います。心にきらきらの宝物を蓄えた子は、困難な状況に見舞われても、「このおにぎり、うまいな」「あ、花が咲いてる」とか、小さなことをきっかけにして、立ち直れるのではないでしょうか。なぜなら、世界のどこかに良いものがあると信じているから。そういう感覚を開いていく訓練が、本を通じてできるとも思っています。

『おたすけこびととおべんとう』
なかがわちひろ 文
コヨセ・ジュンジ 絵

Q 今後の抱負をひと言、お願いします。

A 私のちょっと後の時代を生きる子どもたちに残すのにふさわしいものってなんだろう、としょっちゅう考えています。

子どもの本であれば、ジャンルはなんでもいいのですが、いい笑顔をひきだす本を、子どもたちと共有できたら、それが一番かな。

ありがとうございました！

なかがわちひろ（中川千尋）翻訳家として『すてきなあまやどり』『ふしぎをのせたアリエル号』『おすのつぼにすんでいたおばあさん』（徳間書店）など多くの絵本・児童文学を手がける一方、著書に『おえかきウォッチングー子どもの絵を10倍たのしむ方法』（理論社）、創作絵本や童話に『のはらひめ』『きょうりゅうのたまご』（徳間書店）、『おたすけこびと』シリーズ（コヨセ・ジュンジ絵／徳間書店）、『かりんちゃんと十五人のおひなさま』（偕成社）、『天使のかいかた』（理論社）、『ハンカチともだち』（アリス館）などがある。

絵本の魅力にせまる!

絵本、むかしも、いまも…

第136回「そんなに怒るとふくらんじゃうよ!」
児島なおみ『テツコ・プー ふうせんになったおんなのこ』

文:竹迫祐子
ちひろ美術館主席学芸員、同財団事務局長。主な著書に、『ちひろの昭和』ほか。

誰でも、虫の居所が悪く、腹立たしい思いの持っていき場所に困ることはあるもの。それは、子どもとて同様です。その日の朝のテツコ・プーはまさに、それ。「プーっとした気持ちでいっぱい」で、朝ごはんのときに弟をつねって、お母さんにおこられますが、謝る気持ちにはなれません。プーの気持ちはおさまらず、体の中でふつふつと膨らんで、体もどんどん膨らんで、ついには、風船のようになって宙に浮きあがり、窓から飛んでいってしまいます。

児島なおみ(一九五〇年〜)、久々の絵本。児島といえば、『うたうしじみ』などで知られ、多くのファンがいますが、実は寡作の人。本書は待望の新作です。

神奈川県葉山市生まれ。父親の仕事の関係で、三歳から八歳までをニューヨーク市北西部に位置するハドソン川畔の街、リバーデールで過ごしました。日本とは異なる生活環境、文化環境が、児島に大きな影響を与えたことは言うまでもありません。その頃、両親の本棚にあった雑誌「ザ・ニューヨーカー」の漫画を楽しんでいたという児島の夢は、将来、子どもの本の作家になること。当時の「ザ・ニューヨーカー」では、ウィリアム・スタイグ、ソール・スタインバーグ、ジャン・ジャック・サンペなどのイラストレーターが筆を揮っていました。

八歳で帰国してのち、彫刻を学んだ大学時代と結婚してからの一時期、アメリカで生活を送りました。三度目に暮らしたのは、マサチューセッツ州アマースト。のちにエリック・カール美術館が設立された同地では、地元の児童書作家グループ(Society of Children's Books Writers and Illustrators/ SCBWI)と出会い、近隣在住の作家や画家が毎月開く勉強会に参加して子どもの本作りを学びました。デビュー作は、大学時代から手掛けていた『Mr. and Mrs. Thief』(一九八〇年/邦題『どろぼう夫婦』)。しかし、実際の出版にいたるまでは、編集者による「特訓」がつづいたといいます。これらのエピソードから、アメリカという国の次世代を育てる風土が伺えます。

この人の絵本の魅力は、子どもの肢体と動きを伸びやかに、しなやかに捉えるシンプルな線描。媚びない愛らしさ。そして、たっぷりと取られた余白。それらが独特の清潔感を感じさせ、読者の想像を掻き立てます。また、柔らかなユーモアを含んで、子どもの内なる心情を捉える物語と言葉も魅力です。『どろぼう夫婦』の、お隣さんが「どろぼう」と思い込んで見張りをつづける男の子然り。そして、弟に手がかかるお母さんにこちらを向いてもらいたい気持ちを素直に出せず、プーと膨らむテツコちゃん然りです。

現在、日本でもSCBWIジャパンを立ち上げ、日本とアジアの若い作家へのサポートにも力を入れつつ、創作を行う日々。この人はこうして絵本の文化を未来につなげていっています。

『テツコ・プー ふうせんになったおんなのこ』児島なおみ 作
初版2020年
偕成社 刊

野上暁の児童文学講座

「もう一度読みたい！'80年代の日本の傑作」

第65回 工藤直子『ともだちは緑のにおい』（一九八八年／理論社）

文：野上 暁（のがみ あきら）
児童文学研究家。著書に『子ども文化の現代史～遊び・メディア・サブカルチャーの奔流』（大月書店）ほか。

夜の海で出会った、いるかとくじらの、ほのぼのとした友情をユーモラスに描いた『ともだちは海のにおい』（一九八四年）の姉妹編です。このお話も、最初からほのぼの感がいっぱい。

いきなり、太陽が緑の地球に向かって光の指を伸ばし、「いっしょにあそぶもの　このゆび　とまれ」と、この物語は始まります。遊びたがり屋の太陽は、こうやって友だちを呼んで遊ぶのです。これに答えたのが川の流れ。光を跳ね散らしてそれを鳥たちに伝え、鳥たちは「このゆびとまれ」を歌にします。このように、みんな太陽の光の指のあいだで友だちを見つけて遊ぶから、太陽は退屈しないのです。

朝の光が降り注ぐ草原を散歩していたライオンは、渦巻き模様の石ころを見つけ、ちょっとなめてみました。すると石ころが「なんだなんだ」と叫び、目玉が二つ飛び出しました。「とびだす目玉なんて、かっこいいな」とライオンが言い、自己紹介すると、その石ころは「おれ、ひるねのとちゅうの、かたつむりです」。それで二人は友だちになります。

かたつむりがライオンのおでこに乗せてもらい、広い草原を進んでいくと、茂みの中から細長くて茶色いものが二本突き出ていました。それは、ろばの耳。「風になりたいとき、茂みの中でうとうとするんだ」と、ろばはいいます。三人は友だちになって、風になろうと茂みにもぐります。とってもいい気持ちで、風に抱かれて、風の赤ちゃんになったみたい。そして、「風は／いろんなものを／だっこする」と始まる「だっこ」という詩に続きます。

かたつむりは、感激した時など殻の中から辞書と日記帳を取り出し、辞書で字を調べながら日記を書きます。昔の日記も、殻の渦巻きの奥の方に積み重ねてあって、うれしい気持ちになりたいときは「♡」のついたページを読むのです。

満月の夜、みんなでお月見。かたつむりは、この日のために作った「おーい満月」を透きとおった声で歌い、ろばは「まいごのカバ子」というパントマイムを演じます。ライオンが練習した手品を色々披露すると月も拍手したみたい。最後にライオンは、月に向かっておじぎをし、たてがみの中から、ヒゲの先から、おへそから、尻尾の先から、つぎつぎと花束を出し、月に手を伸ばして差し出します。月も思わず笑って、ますます輝きます。

かたつむりが太めのろばに頼まれてスリムになるように考えた「ろばのための体操プラン」は、長新太のユーモラスな絵で図解されていて、もう笑ってしまいます。

ライオンが三つ編みに夢中になり、ろばも、たてがみと尻尾（しっぽ）を三つ編みにしてもらったり、かたつむりが空を飛んだり…。緑の地球の生き物たちが、太陽の恵みを受けてくり広げる、ちょっと不思議で幸せ感いっぱいの自然賛歌であり、幼児から大人まで楽しめる、心がほかほかする生命賛歌です。

『ともだちは緑のにおい』
工藤直子 作
長新太 絵
初版1988年
理論社 刊

私と子どもの本

第131回「お世話になっています！」『ふしぎなナイフ』

文：オスターグレン晴子
新聞社勤務を経て、フリーランスの通訳・翻訳業に。主な訳書に『キムとふしぎなかさのたび』『ムーミントロールと小さな竜』（徳間書店）ほか。

絵本の読みきかせに月に二回、保育園へ通っている。二つの園で合計八クラス。通い始めた頃の年中、年長さんたちは今、中学生。近隣の園ではないし、卒園児とどこかですれ違っても、絶対にわからないだろう。

初めて子どもたちに会うときのドキドキ感は、毎年かなりのものだ。一歳にもならない子たちからじっと見つめられると、なぜか「わたしが悪うございました。」と、両手をついて謝りたくなるし、年少さんに初めて会うときも、子どもたちの目力（めぢから）に圧倒される。

あいさつの後、さっそく読みはじめると、子どもたちも最初は緊張しているのか、黙って食い入るように見つめるだけ。けれども間もなく、どんどん表情が変わり、声も出てくる。読み終わったときの笑顔は、カラフルなかわいいお花がいっぺんに開いたみたいだ。

三ヶ月くらい過ぎると、絵本を読む時間を通して、よそ者のわたしにも、クラス特有の色合いといったものが感じられてくる。同じ年齢の子どもたちでも、クラスによって、同じ絵本に対する「食いつき方」は驚くほど違う。当然、読んでほしい本のリクエストも、クラスによって違ってくる。三年間の半分ちかく、毎月同じ絵本を読んだクラスもあった。

そんな中、ほぼ全部のクラスから、読んでほしいと何度も声のあがる絵本が、『ふしぎなナイフ』だ。

読み終わったすぐ後に、「もういっかい！　もういっかい！」とアンコールがかかったのも、部屋全体がゴオーッと鳴っているような盛り上がりを体感したのも、『ふしぎなナイフ』が初めてだった。

ふしぎなナイフが　まがる　ねじれる　おれる　われる　とける　きれる　ほどける　ちぎれる　ちらばる（本文より）

写真と錯覚するような、見開きいっぱいに描かれたナイフが登場、その形が変化していくうち、クラス全員が興奮し、笑いが止まらなくなる。ページをめくるやいなや、絵にふさわしい表現を、だれよりも先に言おうとする子が、かならずいる。もちろん、先に文字を読んでしまう子もいるが、それよりも、ことば探しを楽しむ様子が伝わってくる。ぴよーん、ぐにゃ、スルスルなど、絵に合った擬態語も、自然に言いたくなるらしく、時に大騒ぎになる。

「ふしぎ」から、いったん「ふつう」の形に戻ったナイフは、思いっきりのびた後、劇的にちぢむ。ここで、こどもたちの興奮は、ほぼ最高潮に達する。最後のページにはテキストがないが、子どもたちほぼ全員の口は、ふくらんだ後、破裂したナイフの絵にふさわしく、ぽかんと開き、わあと声が上がる。

今日はちょっと長いお話を読もうかな？　という日、『ふしぎなナイフ』を導入にして、子どもたちを本の世界へひきこむお手伝いをしてもらうこともある。蒸し暑さや行事の練習の疲れなどで、ちょっと元気がなさそうなとき、登場してもらうこともある。

聞く側も読む側も、全身で楽しめる『ふしぎなナイフ』、本当にお世話になってます！

『ふしぎなナイフ』
中村牧江・林建造 作
福田隆義 絵
1997年
福音館書店 刊

上大崎発 読書案内

『ことばの力』

編集部おすすめの本をご紹介します。

新型コロナウイルスが世界じゅうに広まり、国内でも暗いニュースが続いていますが、こんな時期こそ、ことばが大切だと思います。ことばは、心の要。人を暗い気持ちにさせることも、前向きな気持ちへと導くこともできるからです。

今回は、ことばについて考えるきっかけになる『ぼくがゆびをぱちんとならして、きみがおとなになるまえの詩集』（福音館書店）をご紹介します。

十章からなる詩をモチーフにしたこの本では、毎章、主人公の男性（ぼく）の家に、知りあいの小学生の男の子（きみ）がやってきます。ぼくはきみに、詩人が書いた詩を紹介し、きみは、その詩をめぐってぼくと対話をしていくうちに、ことばや詩について、理解を深めていきます。

たとえば、あるとき、ぼくが家で枝豆をゆでようとしていると、きみがやってきて、童謡「我は海の子」を歌いました。でも、歌詞のなかで、「白波の―」を「しーらないの―」と、間違えてしまいます。

ぼくは、海の神様ポセイドンの子が、我を知らぬのか、といってるすがたを想像して笑ったあと、ことばは、ことばになる前は、ただの音で、知っていることばに当てはめて、はじめて意味になり、それが当たり前になりすぎると、本来、音であることも忘れてしまう、ときみに伝えます。「それぞれのことばには、それぞれの、ひびきやリズムがある。あたまのなかで、ぱっともじにおきかえて、いみにしてしまうから、きこえなくなるんだよ」とも。

そして、ぼくが紹介した「きりん　きりん　だれがつけたの？　すずがなるような　ほしがなるような　日曜の朝があけたような名まえを（以下、省略）」という、まど・みちおの詩「きりん」を読んだきみは、「きりんは、きりんになる前に、きりん、ていう、おと、なんだね」と言うのです。

物語のなかで紹介されるそのほかの詩は、藤富保男の「あの」や、松井啓子の「うしろで何か」、石原吉郎の「じゃがいものそうだん」、高階杞一の「人生が1時間だとしたら」、山崎るり子の「ねむり」、長田弘の「海をみにゆこう」、石垣りんの「崖」など、表現方法もさまざま。

そんな多様な詩を通して、ことばってなんだろう？　同じことばをくりかえす意味は？「オノマトペ」って？「ひゆ」って？　と、二人の対話にのって、読み手の心も軽やかに、どこまでも、とんでいきます。

この本を通して、詩は、単純なようでいて奥深く、読み手の数だけ、いろいろな解釈ができるのだ、ということが伝わります。

私の心に残ったのは、いい詩は、ほんとうのことのように感じられる、という二人のやりとり。

たとえ、現実に起きたことではなくても、詩には、なにか読み手にとって真実だと思えるようなことが、ささやかでも宿っていて、それが読者の心に力を与えてくれる、と私は思うのです。

物語の終わりには、ぼくときみの意外な事実が明らかに。

この本を読んで、ことばや詩を楽しむ足がかりにしていていただければと思います。特に、中高生に、おすすめの一冊です。

（高尾）

『ぼくがゆびをぱちんとならして、きみがおとなになるまえの詩集』
斎藤倫 作
高野文子 画
福音館書店

徳間のゴホン！

第130回 「シリーズものにチャレンジ！」

キャラクターや世界観が気に入ると、どんどん次の巻を読みたくなるシリーズもの。２ページで「制作日記」をご紹介した「おたすけこびと」のほかにも、シリーズで楽しめる本がいろいろあります。

こざるのジョジョくんがひとりで森の中を散歩しているうちに、ほかの動物たちみんなが「ぎゅっ」としているのを見て、ママが恋しくなってしまうのは、絵本**『ぎゅっ』**。ジョジョくんが登場する絵本はほかにも**『たかいたかい』『やだ！』『あそぶ！』**があります。ママに愛されてすくすく育つジョジョくんの成長が伝わる連作です。

『ペニーさん』は、絵本作家エッツのデビュー作。貧乏でも動物たちとなかよく幸せに暮らしているペニーさんの絵本は、三冊あり、どの巻でも動物たちが次々と事件を起こすのですが…？　ゆかいなお話が好きな人におすすめ。

ひとりで本を読み始めた子どもたちには、**『ふたりでまいご』『ふたりでおるすばん』『ふたりでおかいもの』**の三部作を。「世界一のおねえちゃん」と弟が体験するちょっと変わったできごとが、ユーモラスなイラストといっしょに楽しめます。

「ものだま探偵団」（既四巻）シリーズは、ものに宿った魂＝「ものだま」の声を聞くことができる五年生の女の子が、ふしぎな事件を解決していくシリーズ。気が強い鳥羽（とば）と、転校生七子のコンビが自分たちの力でふしぎな事件の謎を解いていく姿が魅力です。

映画「スター・ウォーズ」のキャラクター、ヨーダの折り紙が子どもたちの悩みを解決するシリーズ**「オリガミ・ヨーダの事件簿」（全五巻）**。主人公トミーが、オリガミ・ヨーダのアドバイスを信じていいのかどうか悩み、クラスメイトにレポートを書いてもらうという形のシリーズは、やがて子どもたちが学校の教育システムに立ち向かっていくという展開に！　読み応えたっぷりです。

魔法の出てくる物語が好きな人には**「大魔法使いクレストマンシー」（全七巻）**シリーズがお薦め。物語は一冊ごとに完結（外伝は短編集）しているので、一冊だけでも満足でき、どの巻からでも読み始められますが、全巻読むと多層に構築された世界観に圧倒されます。多彩で魅力的な登場人物たち、さまざまな魔法、シニカルなユーモア、謎解き、と読書の醍醐味を満喫できます。

ぜひ、お気に入りのシリーズを見つけてください。（小島）

絵本◆『ぎゅっ』『たかいたかい』『やだ！』『あそぶ！』（ジェズ・オールバラ作・絵）◆『ペニーさん』『ペニーさんと動物家族』『ペニーさんのサーカス』（マリー・ホール・エッツ作・絵／松岡享子訳）
児童文学◆『ふたりでまいご』『ふたりでおるすばん』『ふたりでおかいもの』（いとうひろし作）◆ものだま探偵団『ふしぎな声のする町で』『駅のふしぎな伝言板』『ルークとふしぎな歌』『わたしが、もうひとり？』（ほしおさなえ作／くまおり純絵）◆オリガミ・ヨーダの事件簿『オリガミ・ヨーダの研究レポート』『ダース・ペーパーの逆襲』『オリガミ・チューバッカの占いのナゾ』『ジャバ・ザ・パペットの奇襲』『オリガミ・レイア姫あらわる！』（トム・アングルバーガー作／相良倫子訳）◆大魔法使いクレストマンシー『魔法使いはだれだ』『クリストファーの魔法の旅』『魔女と暮らせば』『トニーノの歌う魔法』『魔法の館にやとわれて』『キャットと魔法の卵』外伝『魔法がいっぱい』（ダイアナ・ウィン・ジョーンズ作／田中薫子・野口絵美訳／佐竹美保絵）

編集部のこぼれ話

○月×日

「えほん50」リストが発表されました。これは、一年間に刊行された絵本の中から全国学校図書館協議会が厳選し、ぜひ子どもたちに読んでほしいと推薦するもののリストです。徳間書店からは、『エベレスト』と『おおかみのおなかのなかで』が選定されました。

○月×日

絵本『おおかみのおなかのなかで』が「第一回親子で読んでほしい絵本大賞」に入賞、「第25回日本絵本賞」にノミネートされました！

「親子で読みたい絵本大賞」は、司書、読みきかせボランティアなどからなる、JPIC読書アドバイザークラブ会員が、過去一年間の新刊絵本の中から投票で選考したもの、「日本絵本賞」は全国学校図書館協議会が、優れた絵本を顕彰するものです。各方面で評価の高いこの絵本、ぜひみなさんも手にとってお楽しみください。

○月×日

先日、編集部にニューヨークから一通の手紙が届きました。封筒には、パンダや猫のかわいいシールがたくさん貼ってあり、小学生の読者からの感想のお手紙かな…？　と思ったら、差出人は児童文学「バンダビーカー家は五人きょうだい」シリーズの作者カリーナ・ヤン・グレーザーさんでした！　シリーズ第一作『引っ越しなんてしたくない！』ができあがった昨年十一月、翻訳者の田中薫子さんと担当編集からカードを添えて、見本をお送りしたのですが、そのお礼のお手紙だったのです。楽しさいっぱいの手紙をいただき、田中さんとの第二作『（仮）秘密の庭をつくりたい！』の編集作業も、うきうきしながら進めることができました。六月刊の第二作も、ぜひご覧ください（詳細は15ページ）。

グレーザーさんから届いた航空便。手紙が大好きで、特に、自分から出すときにはいつも、封筒にシールをたくさん貼るそうです。

○月×日

六月の新刊絵本『ヒゲタさん』は、黒々とした口ひげをはやしたねこ、ヒゲタさんのお話。この本の帯は、切って遊べる「口ひげ」になっています。どれくらいの大きさにするか、編集部員宅の四歳児で実験（？）をくりかえしました。みなさんもぜひ、「口ひげ」を切り抜いて遊んでみてくださいね（詳細は14ページ）！

■お知らせ

新しい児童書カタログができました！　現在、出版されている徳間書店の児童書すべてがご覧になれます。ご希望の方は、メールまたはハガキでお申し込みください。

※「子どもの本便り」購読者には申込がなくてもお送りします。

＊記入事項　氏名・住所・電話番号・希望部数

＊宛先　〒一四一-八二〇二　東京都品川区上大崎三-一-一　目黒セントラルスクエア（株）徳間書店児童書編集部「カタログ希望」係

＊メールアドレス
children@shoten.tokuma.com

※件名を「カタログ希望」としてください。

メールマガジン配信中！
ご希望の方は、左記アドレスへ空メールを！（件名「メールマガジン希望」）
→tkchild@shoten.tokuma.com

児童書編集部のツイッター！
ツイッターでは、新刊やイベントなどの情報をお知らせしています。
→@TokumaChildren

絵本５月新刊

おたすけこびととおべんとう　５月刊　絵本

なかがわちひろ文
コヨセ・ジュンジ絵
２２cm／３８ページ
３歳から
定価（本体一五〇〇円＋税）

あさ、お父さんがおたすけこびとに電話をかけました。「たんぽぽ島」に遠足にいった子どもに、おべんとうをとどけてほしい、というのです。

こびとたちは、おべんとうと、働く車をフェリーにつみこんで、島をめざして、しゅっぱーつ！　ところが…？

こびとたちが、働く車をつかって、人間にたのまれた仕事をみごとにはたす、累計32万部、ヨーロッパやアジアでも人気のシリーズ、第七弾。

働く車に加えて、今回大活躍するのは、フェリー！　以前から、船を描きたいといっていたコヨセさんが、力をこめて描きました。

コヨセさんは、作画に取りかかる前に、モデルとなるフェリーの魅力を伝えるべく、青森県の津軽半島と下北半島をむすぶカーフェリーをみっちり取材してこられました。

新境地に達したコヨセさんの魅力あふれる絵。ぜひ手にとって、ご覧ください。

■好評既刊　もっと知りたくなる！ノンフィクション絵本

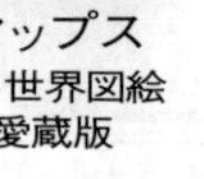
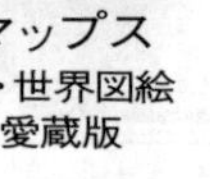

マップス
新・世界図絵
愛蔵版

世界のことを知って、もっと視野を広げよう！　この絵本は、地図とたくさんのイラストで世界各国を紹介した大判絵本です。従来の版より二十か国多い六十二か国が載っている、今しか手に入らない愛蔵版！

食べ物、歴史的な建物、有名な人物、動植物など、さまざまなものをとりあげています！

アレクサンドラ・ミジェリンスカ&ダニエル・ミジェリンスキ作・絵／３８cm／１４９ページ／小学校低中学年から／定価（本体四五〇〇円＋税）

ミツバチのはなし

ミツバチは、どんなふうにハチミツを作り、人間は、いつごろからミツバチを飼うようになったのでしょう。

恐竜のいた時代から現代まで、昆虫学的、文化的、技術的な側面からミツバチとハチミツに迫り、世界各国で様々な賞を受賞した話題の絵本です！

ヴォイチェフ・グライコフスキ文／ピョトル・ソハ絵／武井摩利訳／日本語版監修原野健一／３８cm／７１ページ／小学校低中学年から／定価（本体二八〇〇円＋税）

絵本5月新刊

アニメ ムーミン谷のなかまたち ハンドブック

5月刊　絵本

テレビアニメーション「ムーミン谷のなかまたち」のエピソードをとりあげながら、キャラクターたちについてやムーミンの世界観を伝えるハンドブック。

アニメーションの画像はもちろん、アニメのもとになったデッサンも多数使用し、ムーミンの原作を知らない人、アニメをまだ見ていない人にも、くわしく、わかりやすくムーミンの世界を紹介する豪華な絵本です。

ムーミンの物語が生まれるまでの背景、ムーミン一家をはじめとする登場人物たちの解説、ムーミン屋敷はどんな家か、ムーミン谷で、どんなふしぎな事件が起こったか、などを、アニメのエピソードにからめて紹介していきます。

今年はムーミン童話の第一作『小さなトロールと大きな洪水』が刊行されてから75年、つまり四分の三世紀が過ぎた記念の年です。物語、絵本、アニメ、さまざまなものにふれて、ムーミンに詳しくなってください！

トーベ・ヤンソン原案
当麻ゆか訳
25cm／128ページ
十代から
定価（本体二二〇〇円＋税）

■好評既刊　引きこまれる物語の世界

やさしい大おとこ

山の上にすむ大おとこは、ふもとの村の人たちと友だちになりたい、と思っていました。でも、声が大きすぎて、村人たちには聞きとれません。ところがある日、ひとりの女の子がぐうぜん、大おとこは本当は心がやさしいと知り…？　世代を越えて愛されつづけている、コールデコット賞受賞作家による、挿絵いっぱいの楽しい幼年童話。

ルイス・スロボドキン作・絵／こみやゆう訳／A5判／64ページ／小学校低中学年から／定価（本体一七〇〇円＋税）

大魔法使いクレストマンシー
魔法使いはだれだ

「クラスに魔法使いがいる」謎のメモに寄宿学校は大騒ぎ。魔法は厳しく禁じられ、見つかれば火あぶりなのに！　続いて、さまざまな魔法が学校を襲う。魔法使いだと疑われた少女ナンたちは、古くから伝わる、助けを呼ぶ呪文を唱えた。「クレストマンシー！」すると、現れたのは…？

ダイアナ・ウィン・ジョーンズ作／野口絵美訳／佐竹美保絵／B6判／304ページ／小学校中高学年から／定価（一七〇〇円＋税）

絵本6月新刊

ヒゲタさん

あめのよる、チカちゃんが窓の外を見ると、口ひげをはやしたねこがのぞきこんでいました。チカちゃんがねこを部屋にいれて、タオルでふいてあげると、ねこはそのままねむってしまいました。

よくあさ、「きのうは　ありがとうございました」という声。ねこがお礼をいっていたのです。チカちゃんは、名前がないというそのねこに、「ヒゲタさん」という名をつけてあげました。

ヒゲタさんは、あまやどりのお礼に、チカちゃんをひげの国へつれていってくれる、といいます。

つけひげをつけて、ひげの国へいくことになったチカちゃんですが…？

ひげの国からやってきた、話ができるねこ、ヒゲタさんと女の子がくりひろげる、ちょっと奇妙で楽しい絵本です。

山西ゲンイチ作・絵
27cm／32ページ
3歳から
定価（本体一六〇〇円＋税）

6月刊　絵本

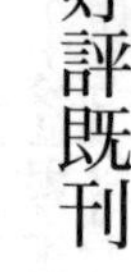

■好評既刊　雨の日だって楽しい！

すてきなあまやどり

ざあざあぶりのにわかあめ。ブタくんは大きな木の下であまやどりしたはずなのに、なぜかびしょぬれ。どうしてかっていうとね…。

あまやどりの説明をするうちに、どんどんエスカレートしていくブタくんのお話にページをめくる手がとまらなくなる、「雨の絵本」決定版です！

バレリー・ゴルバチョフ作・絵／なかがわちひろ訳／31cm／40ページ／3歳から／定価（本体一六〇〇円＋税）

あめのひ

朝、目がさめると、雨がふっていた。ぼくは、外に行って、雨の中で遊びたい。でも、おじいちゃんは、雨がやむのをまとうって言う。雨、やまないかな…。

雨を楽しむ気持ちをファンタジックに描いた作品。英国で活躍する絵本作家による、雨の季節にぴったりの絵本。

サム・アッシャー作・絵／吉上恭太訳／31cm／32ページ／5歳から／定価（本体一六〇〇円＋税）

児童文学6月新刊

ウサギとぼくのこまった毎日　6月刊　文学

ジュディス・カー作・絵
こだまともこ訳
A5判／104ページ
小学校中学年から
定価（本体一四〇〇円＋税）

もうすぐ、クリスマス。少年トミーは、お父さんとお母さんに新しい自転車を買ってもらうのを楽しみにしていました。

そんなある日、学校の先生が飼っている、雪みたいに真っ白でふわふわのウサギを、うちであずかることになりました。

でもその日から、トミーのうちでは、わるいことがつづけて起こって大さわぎ！　このウサギは、「のろわれたウサギ」なのでしょうか？　それとも…？

さわぎをまき起こすウサギをめぐって、少年の家族とまわりの親しい人たちとのあたたかな交流を描きます。

絵本『おちゃのじかんにきたとら』（童話館出版）、児童文学『アルバートさんと赤ちゃんアザラシ』（徳間書店）で知られる作家が最後に遺（のこ）した、ほのぼのした物語。たっぷり入った魅力的な挿絵も必見です！

バンダービーカー家は五人きょうだい　(仮)秘密の庭をつくりたい！　6月刊　文学

原書表紙

カリーナ・ヤン・グレーザー作・絵
田中薫子訳
B6判／336ページ
小学校高学年から
定価（本体一八〇〇円＋税）

バンダビーカー家は、両親と、きょうだい五人の七人家族。ニューヨークの歴史ある住宅街で暮らしています。アパートのすぐ上の階にすむ老夫婦ジートさんとジョージーさんや、最上階の大家のビーダマンさん、四本先の通りのパン屋さんなど、ご近所さんたちとも仲よしです。

夏休みに入ってすぐのこと。ジートさんが、卒中で倒れて、救急車で運ばれてしまいました。お母さんはジョージーさんを手伝うため病院に通っているけれど、面会を許されない子どもたちは、心配でたまりません。せめて自分たちにも何かできることはないかな？

ジートさんが退院したときに散歩で立ち寄れるような場所を作ることを思いついた子どもたちは、大人には内緒で教会の隣の荒れ放題の土地を整えて、花壇やベンチのある庭を作ることに。ところが次々にトラブルが起きて…？

にぎやかな大家族と大都会のご近所づきあいを描く、心あたたまる児童文学。米国で各誌絶賛の、シリーズ第二弾！

◆読者のみなさまへ◆

「子どもの本だより」を定期購読しませんか？

徳間書店の児童書をご愛読いただきありがとうございます。編集部では「子どもの本だより」の定期購読を受けつけています。お申し込みされますと二カ月に一度「子どもの本だより」をお送りする他、絵本から場面をとった絵葉書（非売品）などもお届けします。

ご希望の方は、六百円（送料を含む一年分の定期購読料）を郵便振替（加入者名・㈱徳間書店／口座番号・00130・3・110665番）でお振り込みください（尚、郵便振替手数料は皆様のご負担となりますので、ご了承ください）。

ご入金を確認後、一、二カ月以内に第一回目を、その後隔月で「子どもの本だより」（全部で六回）をお届けします（お申し込みの時期により、多少、お待ちいただく場合があります）。

また、皆様からいただくご意見や、ご感想は、著者や訳者の方々も、たいへん楽しみにしていらっしゃいます。どうぞ、編集部までお寄せ下さいませ。

読者からのおたより

●このコーナーでは編集部にお寄せいただいたお手紙や、愛読者カードの中からいくつかを、ご紹介しています。

●児童文学『花の魔法、白のドラゴン』

作者ダイアナ・W・ジョーンズにハマって、かたっぱしから図書館でその作者の本を読みあさっていたときに読みました。佐竹美保さんの奇妙なイラストにひかれて借りてみました。素晴らしいお話でした！　魔法使いの娘ロディと人間界の男の子ニックの二人の視点で描かれたファンタジーです。本の帯に書いてあるように本当に厚い本でしたが、ジョーンズの「最後まで読ませるのろい」にかかったようで、あっという間に終わりました。イギリスのパラレルワールドみたいな国ブレストを舞台に、個性的なキャラクターがぞくぞくとあらわれて、謎もどんどん深まっていきます。そして、最後にすべての謎がパッと解決するシーンは見どころです。

こんなに長い話をこんなに面白く書くのはやっぱりジョーンズさんの才能なんだな、と思います。今回もまた素敵な作品を私たちに届けてくださってありがとうございました。

（鳥取県・秋本沙耶（さや）さん・十二歳）

●絵本『ぼうけんにいこうよ、ムーミントロール』

ムーミントロールが海でしんじゅを見つけ、フローレンにあげたお話は、読者にほのぼのとした、いい気分を与えます。幼い子どもには、なおさらです。そして、次に起こる出来事に、大きな期待を持たせます。絵の色合いが、とてもいいです。

（京都府・村上宣明（のぶあき）さん）

●絵本『知ってた？　世界のスポーツ　ルールと歴史』

アダム・スキナーの文もすばらしいが、マーク・ロングの絵のすばらしさは目がうばわれる。鮮やかな原色。オリンピックがコロナウイルスの影響で延期か中止か分からなくなってきているが、この一冊でスポーツ観戦をしているかのよう。どこから読んでも楽しめます。（福井県・Y・Rさん）

●アニメ絵本『となりのトトロ』

何度かアニメを見て、図書館でこの本を借りて読んでいました。改めて、おじいちゃんから孫へ誕生日プレゼントとしていただきました。これからも大切に読んでいきたいです。

（長野県・O・Mさん）

ドに入った。

夜なかに一度、目がさめた。お父さんとお母さんが歩きまわる足音がして、アンジーの泣き声も聞こえた。

でも、ぼくは、すぐにまた眠ってしまった。

朝になって目をさますと、お母さんとお父さんは、パジャマとガウンを着たまま、お医者さんに電話をかけようとしていた。

「お医者さん、まだ病院に着いてないかもしれないわね」と、お母さんがいう。

「それでも、連絡したほうがいいよ」お父さんが、いった。

また、アンジーの泣き声が聞こえてきた。

「アンジーは、どうしちゃったの？」ときいてみると、熱がびっくりするほど高くなったので、お医者さんに薬をもらわなきゃいけないという。

「トミー、自分でシリアルかなにか食べて、学校に行ってくれる？」

お母さんはそういって、また、電話をかけはじめた。

ぼくはベーコンエッグを作って、トースターにパンをいれた。ベーコンエッグは、いつもは日曜日にしか食べないけど、今朝は特別だ。パンが焼けるまで、アンジーのようすを見にいくことにした。

アンジーは、また眠っていた。ハアハアと、いきをしていて、顔が真っ赤だ。ぼくが見ても、ずいぶんぐあいが悪そうだとわかった。もしも、お医者さんが治せなかったらどうしよう？　いや、お医者さんはいろんな薬をどっさりもっているから、治せない病気なんてないよ。そう自分にいいきかせた。

そのあと、ユッキーにえさをやりにいった。

「なにもかも、おまえが悪いんだからな、バカウサギめ！」

ユッキーを思いっきりどなりつけた。それから、朝ごはんを食べて学校に行った。

5　ユッキーは「のろわれたウサギ」？

アンジーのことで頭がいっぱいだったから、その日がいつもとちがう日だということを、すっかり忘れていた。午前中の授業で、なにかの動物が出てくる物語をひとつ書かなきゃいけなかったんだ。

先生は全員の作文を、大きな本屋さんが行うコンクールに出すことにしていた。賞をもらった子どもたちのいる小学校は、本屋さんからごほうびに、本をどっさり贈ってもらえるという。

だから、先生たちはすっごくはりきって、どうしてもぼくたちに賞をとってもらいたいらしい。

ぼくも、どんなお話を書くか考えようと思っていたのに、すっかり忘れていた。ああ、どうしよう！

そのとき、ユッキーのことが頭に浮かんだ。あのおしっこたれのバカウサギをおしつけられた日から、ぼくの家では、ひどいことがつぎつぎに起きた。

それから、前に見た、ゴードン・ストロングさんが出てくる古い映画のことも思いだした。

映画のなかで、ゴードン・ストロングさんは、ルビーの指輪をもらう。

だけど、それはもっているひとが不幸になる指輪だった。映画の

タイトルは、『のろわれたルビー』。

で、ぼくは『のろわれたウサギ』という題でお話を書くことにした。

けっこう長くなったけど、こういう話だ。


ある男が、ウサギをもらった。

でも、そのウサギが「のろわれたウサギ」だということを、男はまったく知らなかった。

そのうちにウサギはどんどん大きくなり、馬くらいになってしまった。

えさ代がかかるので、男はすっかり貧乏になり、新しい服も買えなくなり、車も売ることになった。バスに乗るお金までなくなった。

しかたなく、男はウサギに乗って会社に行くことにした。

だけど、巨大ウサギのせいでいつも渋滞が起こったので、男は、しょっちゅう罰金をはらわなきゃいけなかった。

とうとう男は、巨大ウサギを、動物園にあげることにした。ウサギも、車だらけの道路より、動物園のほうが気にいった。そして、動物園の園長さんがのろいを解く方法を知っていたから、ウサギは小さくなった。

それからは、男も、ウサギも、園長さんも、いつまでも幸せに暮らしましたとさ。めでたし、めでたし。

最後に『のろわれたウサギ』と題を書いたところで、ベルがなって、先生が作文を集めた。

　ぼくの話を読んだ先生は、想像力がゆたかで、よく書けているね、とほめてくれた。

　学校から帰ると、お母さんが、アンジーのぐあいはすこしよくなったといったので、ほっとした。お医者さんに薬をもらったおかげだ。だけど、夜になると、アンジーは、またぐあいが悪くなった。つぎの日は土曜日だったけれど、お医者さんが来てくれることになった。

　お医者さんがアンジーのことをなんていったのか、ぼくは聞かなかった。お母さんにいわれて、庭でユッキーの小屋をそうじしてたからだ。

「おい、バカウサギ！　ぜーんぶ、おまえのせいだからな」

　そういってやったけど、ユッキーは知らん顔で、新しいわらの上をごそごそ動きまわっている。寝床を整えようとしているらしい。

　ぼくは、かっとなって、どなった。

「おまえは、のろわれたウサギだっ！」

家に入ると、ちょうどお医者さんが帰るところだった。

「妹さんのめんどうを、しっかり見てあげるんだよ」

お医者さんは「きみなら、できるよ」という顔でいってくれた。

お父さんは、緊急のときの電話番号をお医者さんにきいて、メモしていた。

「もう一度、アンジーのようすを見てくるわ」と、お母さんがいったので、ぼくもついていった。

アンジーの顔は、前ほど赤くなかった

けど、なんだかほっぺたがしぼんだみたいで、いきもまだ、ゼイゼイいっている。

「アンジー、ぐあいはどう？」

お母さんが声をかけても、アンジーには聞こえないみたいだし、目もつぶったままだ。お母さんは、ぼくの手をぎゅっとにぎって、いった。

「だいじょうぶよね、トミー。ぜったいに治るわよね？」

「だいじょうぶだよ、お母さん」

そう返事したけれど、ほんとうにだいじょうぶかどうか、ぼくにもわからなかった。

6　マイクおじさんと映画館へ

うちでは、土日の休みには、いつもみんなで、外に遊びにいく。でも、いまはアンジーが病気だから、出かけるわけにはいかない。

ぼくは、ちょっとかなしくなった。なにか自分でおもしろいことを見つけなくちゃ……と、思っていたら、マイクおじさんがやってきた。

「トミー、いっしょにピザを食べてから、映画を見にいかないか？」

きっとお母さんが、マイクおじさんに電話して、たのんでくれたんだ。

で、ぼくはマイクおじさんとピザ屋に行って、だいすきなマルゲリータピザの上に、マッシュルームのトッピングをのせてもらって食べた。

それから、ふたりで映画を見にいった。クマがいろんな冒険をする映画で、ちょっと子どもっぽかったけど、とってもおもしろかった。マイクおじさんも、

気にいったようだ。

うちに帰ると、アンジーはやっぱりベッドで眠ったままだった。お母さんとお父さんは、口げんかをしていた。

「だけど、あなたはシェイクスピア*の劇がだいすきっていってたじゃない!」と、お母さんがいった。

「もちろんさ。だいすきにきまってるだろ」と、お父さんはいいかえした。「でも、きっとぼくなんか、つかっ

*一五六四―一六一六。イギリスの劇作家・詩人。歴史上、もっとも有名な作家のひとり。

てもらえないよ。どっちみち、テレビとちがって、舞台の仕事は、あんまりお金がもらえないし……。だいいち、アンジーのぐあいがあんなに悪いのに、きみひとりを家にのこしていくわけにはいかないじゃないか」

「ひとりじゃないわ、トミーがいるもの……それに、あなたはいつも仕事をことわってから、『ああ、あの役やってみたかったなあ！』なんて、あとになっていうじゃないの」

お父さんは、シェイクスピアの劇のオーディションを受けてみないかと、芸能事務所にすすめられたらしい。シェイクスピアの劇だけをやる、大きな劇場のオーディションだ。しまいに、お父さんはいった。

「わかった。きみがだいじょうぶだっていうなら、オーディションに行ってくるよ」

7　アンジー、目をさます

つぎの朝、お父さんはオーディションに出かけていった。アンジーが、夜なかに起きて泣いたりしなかったから、お父さんは、すこしほっとしたようだ。アンジーは、一回も目をさまさずに、朝までぐっすり眠っていた。これは、よくなるしるしかも、とぼくは思った。お母さんは、アンジーが目をさましたらすぐにわかるように、ベッドの横で、先生になる試験の勉強をはじめた。

ぼくは、ユッキーにえさをやりに、庭に出た。寒かったけど、とってもいい天気だった。小屋の戸をあけると、ユッキーはぼくの横をすりぬけて、芝生の上にとびおりた。こんな日は、お日さまの光をいっぱいあびて、はねまわりたいのだろう。

「わかったよ、バカウサギ。すきなだけ、はねまわってろ。えさは、あとにし

ような」

ぼくはキッチンにもどって、食器を皿洗い機にいれた。それから、なにか手伝うことはあるか、お母さんにききにいこうと思ったら、マイクおじさんから電話がかかってきた。

「アンジーは、ずっと眠ってるの」電話に出たお母さんは、いった。

「お昼を食べにいらっしゃいよ、マイク。お昼すぎにはあのひとも帰ってくるから、シェイクスピアのオーディションがどんなだったかいっしょに聞けるわ」

お母さんは、電話を切ったあと、お昼の用意をするあいだアンジーを見ていてと、ぼくにたのんだ。

ぼくはアンジーの部屋に行って、お母さんがすわっていたいすにこしかけた。アンジーはふとんにくるまっていたけれど、顔はそんなに赤くないし、いきもゼイゼイいっていなかった。

ようし、ちょっと声をかけてみよう。

「おい、アンジー!」

返事はなかったけど、聞こえているような気がした。それじゃ、なにかおもしろいことをいってみよう。ぼくは、できるだけ低い声でうなった。

「ウウーッ! ウウーッサギーッ!、ウウウーッサギーッ!」

アンジーは、やっぱりなにもいわない。でも、顔つきがちょっとかわったから、聞こえているらしい。だから、いろんな声で「ウサギッ! ウサギッ!」と、くりかえした。

とうとう、アンジーはちょっと目をあけて、いまにも消えそうな声でいった。

「ウサギ……？」

「おはよう、ねぼすけウサギ！　もう起きたらどうだ？」

アンジーは、ぱっちり目をあけた。

「えっ？　いま、何時？」

「もうすぐ十一時だよ」

「あたし、夢を見てたの……お兄ちゃん、朝ごはん、まだ食べられる？」

「だいじょうぶ、食べられるって」

そこへ、お母さんが入ってきた。

「お母さん、ゆでたまごと、黒パンにバ

ターをつけたの、食べたい」

アンジーがいうと、お母さんのほっぺたが、さっと赤くなった。それからお母さんは、ほんとにうれしそうに、にっこりわらった。

「もちろんよ！　すぐにもってきてあげる」

アンジーのぐあいがよくなったから、その日はすばらしい一日になった。アンジーは、お昼ごはんのデザートのときだけ、みんなといっしょにテーブルに着いた。マイクおじさんがやってきて、そのうちにお父さんも帰ってきたから、うちじゅう、パーティみたいににぎやかになった。

お父さんは、オーディションのようすを話してくれた。オーディションには、有名な俳優たちも来ていたという。すばらしい俳優たちが、シェイクスピアの劇のせりふをいうのを聞いて、お父さんはほんとうに感動したそうだ。オーディションがおわったあと、劇場のひとに「それでは、またご連絡します」っていわれたらしい。

「オーディションに受からなかったときは、いつもそういわれるんだ。それでも行ってよかったよ」と、お父さんはうれしそうにいった。

マイクおじさんは、ぼくとふたりで行った映画の話をした。

「子どもも大人も楽しめる映画だったよ。ゴードン・ストロングのバカみたいなスパイ映画より、ああいうものを作りたいな」と、おじさんはいった。

そのうちに、お母さんが

「あらあら、おしゃべりしているうちに、お茶の時間になっちゃったわ」と、いった。

ちょうどそのとき、ベネット先生から電話がかかってきた。お母さんのぐあいがよくなったから、明日の朝、ユッキーを引き取りにくるそうだ。

しまった!

ユッキーを庭に出しっぱなしにして、えさもやってなかった。おしゃべりしているみんなをのこして、ぼくは外に出た。

8　ユッキーが行方不明

いつのまにか、庭には霧がたちこめていた。ユッキーのすがたが見えなかったけれど、ぼくは霧のせいだと思って、心配しなかった。バカウサギのやつ、かくれんぼしてるんだ……でも、すぐに、ほんとうにいないとわかった。いったいどこに行ったんだろう？

そのとき、お父さんが板べいの穴をふさいでいたことを思いだした。霧のなかをすかしてみると、釘でうちつけたはずの板が消えていて、ウサギの大群が通れるくらいの大穴があいている。

それでもまだ、ぼくは心配しなかった。あの穴なら、ぼくだって通りぬけられる。すぐにとなりの家の庭に入って、ユッキーをつれてもどってこられるはずだ。

ところが、となりの庭にもユッキーはいなかった。よく見ると、庭の小道を通って、家の横から道路に出られるようになっていた。
あのバカウサギは、道路に出たにちがいない。そしたらもう、どこに行ったかわからない。どっちの方向にだって行けるんだから。でも、悪いのは、えさをやらずにほったらかしておいたぼくのほうだ。
やっぱりあいつは「のろわれたウサギ」だ。あいつがやってきてから、悪いことばかり起きてるじゃないか。

明日の朝、ベネット先生がうちにやってくる。ユッキーがいなくなったといったら、先生はどんな顔をするだろう？　お母さんやお父さんも、かんかんに怒るだろうな。それになにより、アンジーは……。よし、なにがなんでもユッキーを見つけなきゃ！

うちの前の道路ぞいの家は、どの家もドアの前に小さな庭がある。ユッキーは、どこかの庭にかくれているにちがいない。ぼくは、霧のたちこめた道路を歩きながら、うちの側にある家の庭をひとつひとつ、見ていった。でも、どこにもいない。

つぎに道路をわたって、反対側を見ていった。すごく時間がかかったけど、ユッキーは見つからない。あとは、あの草っぱらだ。だけど、あんなにこわい犬におどかされたのに、草っぱらに行くだろうか？

でも、ほかにどこをさがしたらいいか、思いつかなかった。草っぱらをさがすか、それともうちにもどって、みんなに打ち明けるか、ふたつにひとつだ。

しかたがない、草っぱらに行こう。

草っぱらに着いたときには、霧がますます濃くなっていた。じっと、下をにらみながら歩いたけど、足元の草も見えない。これではユッキーがいても、見つけられっこない。

とにかく、白っぽいものをさがすことにした。「いたぞ！」と思ったけど、ただのポリぶくろだった。

そのとき、どこかで犬がほえた。つづいて、きたない言葉でどなる声。

ああっ！　またか！

懐中電灯がゆらゆら光ったと思っ

たら、霧のなかから、ぼさぼさの白髪と、しわくちゃの顔があらわれた。あの「プロの散歩屋」のおばあさんだ。でも、今日は小さな犬を一ぴきつれているだけだ。どうやらつれて帰るとちゅうらしい。

おばあさんの懐中電灯が、地面をぐるりと照らした。いま、立っているのは、前におばあさんと出会ったあたりだと気がついた。ユッキーが、ウサギ穴とかんちがいして、地面の穴をくんくんかいでいた場所だ。

ぼくは、おばあさんにきいてみることにした。

「あの……うちのウサギ、見ませんでしたか？　庭から逃げちゃったんです」

だけど、小さい犬がけたたましくほえまくるのを、大声でどなりつけるせいで、おばあさんには、ぼくの声がよく聞こえなかったらしい。

「あん？　ウサギがどうかしたって？」

おばあさんがいったのはそれだけ。犬がまた、耳をつんざくような声でほえた。小さな犬にしては、やけに大きな声だ。チビ犬とおばあさんは、そのまま霧のなかに消えていった。

と、暗闇のなかからなにかがとびだして、おそろしくとがった爪で、ぼくの足にかじりついた。ユッキー！　ここにいたんだね！

「ああ、ユッキー！　ユッキー！」

あんまりうれしくて、ぼくはバカみたいにくりかえした。

それから、やっと落ち着いて、「いいかい、ユッキー。この草っぱらにウサギはいないんだよ」といいきかせた。

もう一度、ぎゅっとだきしめる。胸におしっこされるんじゃないかと思ったけど、それでもいい。

ユッキーをしっかりだいたまま、ぼくは家にむかった。

家の近くまで来たとき、ぼくは立ちどまって考えた。

ユッキーが逃げだしたことを、うちのみんなに白状しなきゃいけないかな。ユッキーの

世話は、ぼくの仕事。あのおばあさんとおなじように、ぼくは「プロの散歩屋」だ。それに、ユッキーがいなくなったのは、ぼくのせいだし……。まあ、お父さんのせいともいえるけど。お父さんが上手に板べいの穴をふさいでおけば、ユッキーは庭の外に出なかったんだから。だけど、お父さんは、自分のせいだとは思わないかも……。

だいたい、お母さんとお父さんは、ぼくがうちにいないのに気がついているのかな。おしゃべりにむちゅうで、気がついていないかも。そしたらぼくは、いつものようにえさをやってから、なんにも起こらなかったような顔で、ユッキーを散歩につれていける……。

そんなことをうじうじ考えながら、ぼくはユッキーをだきしめたまま、速足で歩いた。とはいえ、霧が深いうえに、どんどん暗くなってきて足元が見えない。どっちに足をふみだしたらいいか、迷ってしまう。そのとき、ふいに霧のなかから、だれかがあらわれた。

9　新しい映画ができるかもしれない

マイクおじさんだ。

「あっ、マイクおじさん！」ぼくは、声をかけた。

マイクおじさんは、だまったまま、じいっとぼくの顔を見つめた。

「新作映画『少年とウサギ』か……」

マイクおじさんは、ぽつんといった。それから、両手のひとさし指と親指で作った四角をとおして、じっとぼくのほうを見た。映画の場面をどんなふうにとればいいか考えているときに、おじさんはよくこんなふうにする。それから、マイクおじさんは、いつも持っている小型カメラをとりだした。

「霧のなかの少年とウサギだ。動くなよ、トミー」

何枚も写真をとってから、おじさんはぼくの肩に手をまわした。

「わたしも、トミーといっしょに家に行くよ」

ええっ？　うちから帰るところだったんじゃないの？

うちに着くと、お父さんがドアをあけた。

「お父さん、ユッキーが逃げだしちゃって……」

ぼくがいいかけると、マイクおじさんが、さえぎった。

「いいから、トミー。早くウサギを小屋にいれておいで。おじさんはお父さんに、話があるんだから」

マイクおじさんは、あらたまった顔で「なあ、アルフレッド」と切りだした。

「たったいま、いいことを思いついたんだよ……」

ぼくは、おじさんにいわれたとおり、いそいでユッキーを小屋にいれ、いつもよりたくさんえさをやった。そのあいだ、おしっこをかけられなかったから、ほっとした。

リビングにもどると、お母さんとお父さんとマイクおじさんが、わいわいしゃべっていた。三人とも、ほかのふたりの話をじゃまするのも、わりこむのもおかまいなし。そのうちに、やっとお父さんがいいだした。

「ああ、しゃべりすぎて、のどがかわいたよ。なにか飲もう」

飲み物を飲んだあと、また、おしゃべりがはじまった。そこへ、アンジーがパジャマのまま起きてきた。

「あらあら、寝てなきゃだめでしょ」

お母さんはそういったけれど、いすにすわったアンジーを毛布でくるんでやった。

マイクおじさんは、ゴードン・ストロングの映画がとれなくなってから、なにか別の映画を作りたいと、ずっと考えていたそうだ。

考えに考えたあげく、おじさんは、ついに新しい映画のアイデアを思いついたという。ぼくといっしょに見たクマの映画みたいに、子ども向けだけど、大人もじゅうぶんに楽しめるもの。それならきっと、映画会社のひとたちを説得できると、マイクおじさんは思ったそうだ。どんな物語の、どんな映画にするか、そういう大事なことは、おじさんの頭のなかにはっきりと描かれている。それに、映画会社は、新しい映画を作るだけのお金を用意しているそうだ。

「少年とウサギの映画なんだよ」と、マイクおじさんはいった。「少年がウサギを手にいれる。ウサギがいなくなる。少年がウサギを見つける。これが、ざっとしたすじがきだ。で、その脚本を書くのにぴったりの脚本家がいるんだよ」

それから、おじさんはぼくにむかって、いった。

「トミー、映画スターになりたくないか？　この映画の少年役をやるのはどうだい？」

ぼくは、なんて返事をしたらいいか、わからなかった。お父さんが舞台に立ったり、テレビドラマに出たりするのを見るのはすきだ。でも、自分がなにかの役になって芝居をするなんて、考えてみたこともない。しかたなく、ぼくは返事した。

「どうかなあ……わかんないよ」

すると、アンジーが毛布をか

ぶったまま、しゃがれ声でいった。
「あたしがやる！　あたしがやるよ！
その子になる！」
みんな、わらいだした。お父さんは、
アンジーをぎゅっとだいてからきいた。
「ウサギと少年の映画だよ、アンジー。
男の子になるっていうのかい？」
アンジーは、大きな声で答えた。
「そうだよ。その役、どうして男の子で
なくっちゃいけないの？」
マイクおじさんとお父さんは、顔を見
あわせた。
「いやあ、アンジーのいうとおりかもし

れないな」と、マイクおじさんは、いった。

そのあと、お母さんがアンジーをベッドにつれていった。ぼくはお母さんについていって、ユッキーが逃げだしたことを打ち明けた。

「まあ、そうだったの。お父さんは、日曜大工が得意じゃないものね」

「ていうか、ぼくがえさをやるのがおそくなったせいなんだ」

どっちも、ほんとうのことだ。

「トミー、小屋のそうじをしといたほうがいいわよ。明日、ベネット先生がいらっしゃるから」

いわれたとおり、ウサギ小屋をそうじした。

つぎの日、学校から帰ると、のろわれたウサギのユッキーは、ウサギ小屋といっしょに庭から消えていた。ぼくは、胸にぽかっと穴があいたみたいに、なんだかさびしくなった。すごく変なんだけどね。

10 やっぱりユッキーは「のろわれたウサギ」かも……

うちに入ると、もっと変なことが起きていた。リビングにお父さんとマイクおじさんがいたんだけど、ふたりとも、やけにおしゃれして、知らない男のひととしゃべっているんだ。テーブルの上にはお茶の用意がしてあって、お母さんが特別なときだけに作るケーキやサンドイッチが、どっさりならんでいる。

「トミー。こちらは、あの有名なチャーリー・コリンズさんだよ」マイクおじさんがいった。

有名なチャーリー・コリンズさんは、有名なゴードン・ストロングさんとは、まるっきりちがっていた。背が高くて大きいひとで、いつもにこにこしている。

「やあ、ウサギの世話をしていたのは、きみだね。ウサギくんに会えなくて、ざんねんだな。前足をにぎって、あくしゅしたかったのに。あのゴードン・ストロングのズボンにおしっこをかけたウサギなら、ぼくの親友にきまってるからね」

おもしろいことをいうひとだ。

アンジーとぼくは、キッチンでお茶を飲んで、ケーキやサンドイッチを食べた。

お母さんにきくと、チャーリー・コリンズさんは映画のプロデューサーだという。プロデューサーというのは、映画や演劇やテレビ番組を計画して、

作りあげる責任者のことだ。コリンズさんは、これから作る映画のことを、マイクおじさんやお父さんと相談しにきたそうだ。

ぼくたちが晩ごはんを食べおわっても、リビングの話はおわらなかった。アンジーとふたりで、キッチンにある小さなテレビを見ているうちに、ベッドに行く時間になった。

うとうと眠りかけたころ、やっと玄関のドアがしまる音がした。プロデューサーのチャーリー・コ

リンズさんは、晩ごはんも食べていったにちがいない。

つぎの朝、お父さんは元気いっぱいで、はりきっていた。

「お父さん、ウサギの映画に出ることになったんだね?」

「ああ、だが映画ってのは、ぎりぎりになるまで、じっさいに作れるかどうかわからないんだよ。今度はうまくいきそうな感じがしてるけどね。」

するとお母さんが横からいった。

「ウサギの映画もすてきだけど、お父さんは、シェイクスピアの劇の舞台に出ることになったのよ。トミーも見たいでしょう?」

シェイクスピアの劇のオーディションがおわったとき、お父さんは劇場のひとから「それでは、あとでご連絡します」といわれたそうだ。オーディションに落ちたとき、いつもそういわれるから、お父さんはてっきりだめだったと思いこんでいた。

でも、劇場のひとは、ほんとうに電話をかけてきて、お父さんは、なんと大劇場でやるシェイクスピアの劇に出ることになったんだ。すごい、信じられないよ！

お父さんが、おなじ舞台に出るすばらしい俳優たちの話をするのを、お母さんはにこにこしながら聞いていた。舞台の仕事は、あんまりお金にならないらしい。

……なんてお父さんがいってたのを、ふたりともすっかり忘れているらしい。まさかのときのためにアルバイト代は貯金しておこうと、ぼくは心にきめた。

その日から、プロデューサーのチャーリー・コリンズさんは、お茶の時間になるとやってくるようになった。脚本家の女のひとも、ときどきいっしょに来る。アンジーとぼくは、キッチンでテレビを見ることが多くなった。

お父さんがいうには、コリンズさんたちは、お母さんの作るケーキやサンドイッチが、すっかり気にいったらしい。それに、ぜったいに映画を作りたいと思っているから、しょっちゅう相談をしに訪ねてくるんだという。

お母さんのケーキやサンドイッチのおかげかどうかはわからないけど、ほんとうに映画を作ることになった。そして、お父さんだけでなく、アンジーも出演することにきまった。アンジーは、映画のなかで「ウサちゃんダンス」をおどることになった。

「アンジーのダンスは、ぜったい大向こうをうならせるよ」と、コリンズさんはいっている。「大向こう」というのは、映画を見にきたひとたちのことだけど、「うなる」といっても、ウーウー文句をいうわけじゃない。みんな、大よろこびで拍手するよ、という意味なんだ。

それはそうと、ぼくの書いた『のろわれたウサギ』の物語は、賞はもらえなかった。でも、アイデアはおもしろいし、とてもよく書けていると、ほめてもらった。

のろわれたバカウサギ、おしっこウサギのユッキーがうちにやってきて、ゴードン・ストロングさんのズボンにおしっこをかけたあの日から、ぼくの家族はほんとにひどいめにあった。そして、ユッキーがいなくなったとたんに、いいことが起こりはじめた。あいつは、ほんとに「のろわれたウサギ」だったんじゃないかな。
だけど、ユッキーが逃げだして、マイクおじさんが、霧のなかでユッキーをだいてるぼくに会わなかったら、映画の話もなかったわけだし……。なんだか、わけがわからなくなってきたよ。

ユッキーが「のろわれたウサギ」だったかどうかはともかく、ついに待ちに待ったクリスマスイブがやってきた。うちのクリスマスツリーのまわりにおおぜいが集まって、パーティがはじまった。マイクおじさんも、プロデューサーのコリンズさんも、いっしょに映画を作る、そのほかのひとたちもみんなやってきた。お母さんは、ベネット先生も招待した。ただし、先生は、ユッキーはつれてこなかった。ベネット先生は、映画を作るひとたちに、ウサギのことをあれこれ教えてあげている。

ごちそうも、いっぱい。もちろん、特大のクリスマスケーキもある。ろうそくがあちこちにともっていて、なにもかも、きらきらかがやいている。お母さんとお父さんは、ほんとにうれしそうに、にこにこわらっている。

アンジーとぼくはどうかって？　もちろん、明日もらうプレゼントのことで、頭がいっぱいだ。

……で、とうとうもらったんだよ！

新しい、ぴかぴかの自転車(じてんしゃ)！　色は、ブルーとシルバーで、ギアチェンジができるんだ。それに、ハンドルもカーブしていて、かっこいい。大きさは、いままでの自転車(じてんしゃ)の二倍(ばい)はある。

ようし、大人になるまで、乗(の)って、乗(の)って、乗(の)りまくるぞ！

訳者あとがき

みなさんは、ウサギがすきですか？　白いのも、茶色いのも、みんなかわいいですね。

でも、この本に出てくるトミーは、学校にいるウサギのユッキーが、だいきらい。二年生のときに、ユッキーにおしっこをかけられたからです。ところが、そんなユッキーをしばらくのあいだ、トミーのうちであずかることになって……。その日から、なぜかトミーのうちでは、こまった事件がつぎつぎに起こります。

この物語を書いたジュディス・カーさんは、一九二三年にドイツのベルリンで生まれましたが、ユダヤ人を敵視するナチスの迫害を逃れて一九三三年に出国し、パリを経てイギリスに移住しました。その後、美術学校を卒業してＢＢＣ（イギリス放送協会）で脚本家として働きました。やがて結婚し、ふたりの子どもの母になってから、第一作となる絵本『おちゃのじかんにきたとら』（童話館出版）を出しました。この絵本は、たちまちベストセラーになり、日本をはじめ多くの国で出版されました。また、『わすれんぼうのねこ　モグ』（あすなろ書房）をはじめとする「モグ」のシリーズも人気の絵本です。わたしも『ワニくんとパーティにいったんだ』と『ふしぎなしっぽのねこ　カティンカ』（共に徳間書店）を翻訳していますが、どちらも想像の翼を思いきり広げた、美しい絵本です。

絵本以外の作品には、『アルバートさんと赤ちゃんアザラシ』（徳間書店）や、幼いころの経験をつづった『ヒトラーにぬすまれたももいろうさぎ』（評論社）があります。先日、二〇〇四年に収録されたＢＢＣラジオの『無人島に持っていきたいレコード』というインタビュー番組をネットで聴きました。カーさんは、自分は危ういところでドイツを出国できたけれど、第二次世界大戦中にナチスによって殺された百五十万人もの子どもたちのことを、一日も忘れることはないと語っていました。その子たちのためにも、日々の幸せをすこしもむだにせずに、味わいつくしたい、とも。おだやかで温かい声を聴きながら、『ウサギとぼくのこまった毎日』のような、からっとしたユーモアと楽しさがあふれる作品の底にある深いものに触れた気がしました。

　ジュディス・カーさんは、最後の作品となったこの本を書き上げ、出版を待たずに、二〇一九年五月に九十五歳で亡くなりました。でも、遺してくれた数々の本は、たくさんの子どもたちの心のなかで、生きつづけていくことでしょう。あらためて、天国のジュディス・カーさんに「ありがとう」と伝えたいと思います。

二〇二〇年五月

こだまともこ

【訳者】
こだま ともこ

東京生まれ。早稲田大学文学部卒業。出版社に勤務の後、児童文学の創作と翻訳をはじめる。創作に『3じのおちゃにきてください』(福音館書店)、翻訳に『ふしぎなしっぽのねこ　カティンカ』『ワニくんとパーティーにいったんだ』『このねこ、うちのねこ!』『犬のことばが聞こえたら』(いずれも徳間書店)、『はがぬけたらどうするの?』(フレーベル館)、『月は、ぼくの友だち』(評論社)、『3びきのかわいいオオカミ』「ダイドーの冒険」シリーズ(いずれも冨山房)など多数。

【ウサギとぼくのこまった毎日】
THE CURSE OF THE SCHOOL RABBIT
ジュディス・カー作・絵
こだまともこ訳 Translation © 2020 Tomoko Kodama
104p、22cm NDC933

ウサギとぼくのこまった毎日
2020年6月30日　初版発行

訳者:こだまともこ
装丁:ムシカゴグラフィクス(子どもの本デザイン室)
フォーマット:前田浩志・横濱順美

発行人:小宮英行
発行所:株式会社 徳間書店
〒141-8202　東京都品川区上大崎 3-1-1 目黒セントラルスクエア
Tel.(049)293-5521(販売)(03)5403-4347(児童書編集)　振替 00140-0-44392 番
印刷:日経印刷株式会社
製本:大日本印刷株式会社
Published by TOKUMA SHOTEN PUBLISHING CO., LTD., Tokyo, Japan.　Printed in Japan.
徳間書店の子どもの本のホームページ　https://www.tokuma.jp/kodomonohon/

ISBN978-4-19-865098-8